Ⓢ新潮新書

中川淳一郎
NAKAGAWA Junichiro

よくも言ってくれたよな

955

新潮社

はじめに

なんてこった。中学校の歴史の教科書や漫画『はだしのゲン』で描かれる世界を２０２０年から２０２２年にかけて経験できるとは思いませんでした。そして、それまでそこそこ好きだった日本という国が、こんなに愚かな国だったと気付かされてしまいました。すべての元凶は新型コロナウイルスです。この原稿を書いている２０２２年5月28日、国内最初の陽性者が確認されてから2年４ヶ月以上経っても「未知のウイルス」「新型ウイルス」であり続けています。一体いつまで「新型」なのやら。

世界各国がマスクを外し、コロナを風邪扱いしている中、日本はゴールデンウィークの移動で「感染爆発」することを恐れ「まだまだ気を弛めてはいけない。欲しがりません勝つまでは！」とばかりにマスクを着けて蝿のような手の動きで消毒する。結局陽性者数は減りましたが……。

『はだしのゲン』の作中では、戦争に反対する者は「非国民」と扱われ、竹槍でB29を落とす訓練をし、「千人針」で兵隊の無事を祈る。そして赤紙で若者が戦争に召集されて特攻隊に志願させられる。戦争に賛成していた者は敗戦後、なぜか「私は元々戦争に反対していた」と言い始める。

これがコロナと重なるのです。「非国民」=「コロナを怖がらない人」「マスクをしない人」「ワクチンを打たない人」です。「竹槍&千人針」=「マスク」、「赤紙」=「ワクチン接種券」、「特攻隊志願」=「利他的に、思いやりをもって大切な人のために副作用が結構な頻度で発生し、将来の薬害の可能性もあるワクチンを打ちましょう」。この新型コロナ騒動で私を含めた少数派は戦争に反対した主人公・ゲンの現代版となり、「殺人鬼」「自分勝手」「公衆衛生の敵」とネットで猛烈な批判を浴び、スーパー等ではマスクをしない私が店に入ると数分後には「お客様にお願い申し上げます。皆さんの安心安全なお買い物のため、マスクの着用をお願いします」のアナウンスが入る。

それだけ社会が「コロナをとにかく怖がり続けなさい」「マスクをいつでもしなさい」「社会のためにワクチンを打ちなさい」と言い続け、その「空気」は完全に達成できました。そして日本はコロナ被害の少なさでは当初「一人勝ち」だったのに、終わらせ方が分からず、「一人負け」になってしまったのでした。そして、散々コロナの恐怖とマスク・ワクチンの効果の素晴らしさを主張した専門家・政治家・メディア、そしてそれを信じて「非国民」を攻撃した一般人は「あの時は未知のウイルスだった」「あの時の判断は当時としては正しかった」としれっとマスクを外すのでしょう。

4月26日、エジプト経由で帰国した私の知り合いはフェイスブックに成田空港でのPCR検査に並ぶ列の写真を投稿。彼女の書いた文章を読むと、PCR検査を受ける列に並ばされ、結果待ちまでに長時間かかるとのこと。陰性でも3日間の隔離措置となり、これは世界196ヶ国中6ヶ国のみが採用している措置だそうです。コロナにビビりまくっている間に原油・ガソリン価格は暴騰し、ロシアはウクライナに侵攻し、4月に値上げラッシュ開始で円は130円を突破！　もう完全に生活が破綻するような状態なのに「コロナにかかるよりもマシです！」というのが日本のメンタリティなわけです。

恐らく2022年末は「なんで我々はあんなにコロナを恐れていたのだ……」という論調になっていることでしょう。そうなっていなかったら本格的に日本はヤバい。結局、次の日本人の特質がコロナ騒動を長引かせ、人々を脅えさせ続け、石橋を叩き続け、もはや「儀式」ともいえる「カンセンタイサクノテッテイ」をやり続けたのです。

何か問題が起こったら責任を取りたくないし、怒られたくないから、「対策はした」「社会の空気が求める方向に乗った」「権威・お上が言うことに従った」という証拠を作りたい。

結局コレだけなのです。私自身、ツイッターや各種記事で（もちろん本書のベースとなっている「週刊新潮」連載でも）散々「コロナはそこまでビビる必要はない」「感染対策をしてもこんな自然現象を人間ごときが抑えることはできない」→「だから受け入れて過剰対策はやめよ！」と一貫して吼え続け、そして膨大なる量の批判を浴びました。「お前はコロナをなめている」「遺族の前でそんなことを言えるか」「お前はコロナにかかっても病院へ行くな」など様々です。あのさぁ、オレ、累進課税のせいで、国民健康保険料MAX払ってるんだけど、なんでオレが診察受けられないんだよ。

そんな思いも当然ありましたが、とにかく「コロナをそこまでヤバいと思わない」「マスクを強制させる場所以外ではしない」「ワクチンはこの程度のウイルスには不要」

と考える人間は徹底的に反社会勢力扱いをされ、この2年以上どれだけ叩かれたか。

本書は、この2年間のクソみたいな日本にて、猛烈に叩かれることを覚悟し、戦時中の「非国民」的扱いされることも厭わず反抗し続けてきた私の「観察日記」です。間違いなく私の視点の方が正しいことを将来的に「コロナ煽り」をした人は認めざるを得ないでしょうし、糾弾され、謝罪しなければならない。そして、彼らを調子に乗らせた「コロナを恐れ過ぎた一般人」も加害者であることを自覚してください。それでは、バカ過ぎたコロナ騒動の2年以上を振り返ってみましょう。

本書はそれ以外にもその時々の空気感に従った時事批評が書かれています。時に呑気な話もありますので、楽しんでいただければ幸甚でございます。

よくも言ってくれたよな◇目次

はじめに　3

〈1〉コロナが生んだ悪者たち

〈4〉逆バリに勝機あり

〈1〉　コロナが生んだ悪者たち

「コロナ鎖国令」の元ネタ

政府の一連の新型コロナウイルス対策は「決められない」「後手後手」と批判され、その様子は映画『シン・ゴジラ』の大杉漣演じる優柔不断な総理大臣とその他閣僚を連想させる、とネットには書き込まれました。

同作では総理の死後、長谷川博己演じる内閣官房副長官と竹野内豊が演じる内閣総理大臣補佐官がリーダーシップを発揮し、ゴジラを撃退するわけです。私には岸田文雄総理がコレに影響を受けたように感じられてならないのです。

２０２１年11月末、オミクロン株（以下「オミ株」）の広がりを受けて、外国人の新規入国を11月30日から12月31日まで禁止すると発表（結果的に2月末までもこの措置を延長し、各国が制限撤廃した4月に入っても制限は続行)。こうも述べました。

「まだ状況が分からないのに『岸田は慎重すぎる』という批判は私がすべて負う」

そして、12月6日の所信表明演説でも同様のことを言いました。

オミ株については、最初にWHOに報告した南アフリカの医師が主な症状について発熱、頭痛、喉の痛み、筋肉痛があり、体温が38度台まで上昇する、と説明しています。そして、アフリカ各国はオミ株での被害が拍子抜けするほど少なかった。ワクチンなどほぼ打っていないにもかかわらず、です。正直「そこまでヤバいか?」と思います。むしろワクチンの副作用(敢えて「副反応」とは書かない)の方がキツいし、ツイッターにはワクチン打った後に39~40度台の熱が出た、との書き込みも複数ありました。

南アフリカのラマポーザ大統領は、日本を名指ししたうえで、入国制限を「不当だ」と批判。私もそう思います。11月26日にオミ株が発表されてから「2週間はどの程度危険があるか分からない」といった言われ方をしましたが、この日から2週間後の段階で、明らかにこれまでの株よりも弱毒化していた。昭和大学の二木芳人客員教授も同様に「2週間経たないと本当の危険性が分からない」とテレビで述べましたが、5週間後も「まだ分からない」と言い、さらには『朝まで生テレビ!』(テレビ朝日系)では、ワクチンについては「最初からこの程度のワクチンだと分かっていた」なんて言い放つ次第。だったらこれに曝露し、天然ワクチンを体内に取り入れればいいんじゃない？ なんてこの2年弱、コロナ騒動を見続けた私は感じました。さらに、結果的にオミ株は、「重症化しないが死者が増えた」という言われ方をされましたが、誤嚥性肺炎や脳梗塞の高齢者までコロナ陽性の場合は「コロナ死」にカウントしたため、このような事態になったのです。しかし、バカは「オミクロンは重症化しない、でも突然死ぬから桁違いにヤバい」という判断になる。いや、違うから。高齢者と重篤な基礎疾患のある人の寿命が来たの、その人々は！

ところが岸田氏はビビりまくり。「先手先手」「決められるリーダー」を見事に鎖国令でもってご演出したのです。完全に、2020年2月のクルーズ船ダイヤモンド・プリンセス号の対応の頃に戻ってしまった。何やってるんだか……。

しかし、岸田氏の判断は「大英断だ、あっぱれ！」と捉えられ、12月上旬の世論調査では、〝鎖国〟を「評価する」が89％となり、内閣支持率は11月上旬から6ポイント上昇の62％に。

もうダメだ、日本国民。どこまでコロナに脅えているんだよ。もう一度言いますよ。

オミ株の主な症状は「発熱、頭痛、喉の痛み、筋肉痛であり、体温が38度台まで上昇」です。これ、そんなに怖いか？　しかし「まだ何があるか分からないだろ！　慎重に慎重を期すのがリーダーの役割だ！」という反論が「コロナ怖いよぉ～」派からは寄せられる。その後、症状として「寝汗」も加わり、お得意の「後遺症がー！」が登場。コロナ後遺症を扱うクリニックの医師がＴＶに頻繁に登場するようになりました。

こりゃ終わらないわ。ＴＶに出る専門家も終わらせる気がなく、陽性者数全国２桁～１００人台が連日続いているのにオミ株が出たらイキイキとし始めた。「マスクはパンツ」「デルタ株は金メダル」等の発言で知られる日本医科大学・特任教授の北村義浩氏なんてオミ株は「新型新型コロナウイルス」と言い出し、振り出しに戻したのです。

それにしてもテレビに出まくる専門家、大学で講義したり、最新の研究をする時間あるの？　ないよね、普通に考えて。(2021/12/23)

◇２０２２年3月中旬、ブラジルで新たな変異ウイルス「デルタクロン株」が発見されたというニュースが流れました。デルタ株とオミクロン株の合体だそうです。恐ろし気な名前のわりに世間が反応していないのは、オミクロン株で騒ぎすぎたことを痛感しているゆえではないでしょうか。とはいっても、コロナについては武漢株→英国株と来て「インド株」が登場し、「なんかヤバそう！」となり、さらにその後は「イギリス株とインド株のハイブリッド型のベトナム株登場！」と常に煽りの材料はあります。ベトナム株の時は、「ラスボス登場！」と大騒ぎになりましたけど、ベトナム株、どこ行っちゃったんですかね？

ついに子供も「悪者」にされた

すごい時代になったものです。先日、ニュース番組に出ていた医師が、コロナ陽性の保育園の児童が無症状ではなく、熱が出るようになったと問題視。そして家に帰って家族にうつしてしまうと発言したのです。２０２１年8月下旬、夏休みの延長を求める意見も出てきて、実際に延長する自治体もあります。

「子供から親や祖父母にうつしたらどうするのだ」というロジックなわけですが、ついに「悪者」が子供に移ったか、と暗澹たる気持ちになりました。ちなみにこれまで子供で亡くなったのは生後10ヶ月の女児1名です。

子供は熱を出すことさえ許されないのか。30代の頃、飲み会をすると「子供が熱を出したから今日は行けない」とドタキャンされることが頻繁にありました。最初はドタキャンの方便かと思っていたのですが、子供を持つ人間からは「本当に子供ってよく熱出すんですよ」と言われたものです。

子供は様々な病気に感染しながら免疫を高めていくわけですが、もう今の専門家が言うことは「熱を出してはいけないので、保育園・幼稚園・学校には行ってはいけない」というものになっています。

コロナ初期の頃、ネットでは「クルーズ船に乗るアクティブな高齢者が感染源だ」という批判はあったものの、その後メディアや専門家は高齢者批判を封印しました。この間の1年7ヶ月、「コロナと世代」を振り返るとこうした流れになっていました。


「防ごう重症化　守ろう高齢者」

「夜の街の若者が感染源になっている」

「重篤化する高齢者にまずはワクチンを打とう」

「50代の重症者が増加する『50代問題』が発生」
「40～50代もワクチン接種を」
「若者も『思いやり』の心でワクチンを」
「若者も重症化するのでワクチン接種を」

そして「子供が熱が出るようになったのが問題」に続き、「5歳～11歳もワクチン接種を」となったわけです。

当初のネット上の論調を除けば、一貫して悪者にされてきたのは非高齢者、それも若者と子供たちだったと言えましょう。

文部科学省は、教室の机の間隔を2メートル空ける行動基準を示しましたが、石川テレビの報道では、2メートル空けると机が入りきらないという実態が明かされました。35人学級で2メートル空けるとなれば、もう屋上か体育館か校庭しか机を置ける場所はありません。給食の時間も「黙食」を要求される。

学校の中ではこうした対策が取られているものの、佐賀県唐津市の私が住むエリアでは、ひとたび学校を出ると子供たちはマスクを外して集団下校で大騒ぎ。多分、賢い子供たちは「建前」というものを理解していると思います。

とにかく役人も政治家も「こういった通達出して子供たちを守ろうと我々はお前らに伝えてたよな。陽性者出たお前らの学校は我々の通達守っていたか?」と言いたいのでしょう。

8月末、政府は緊急事態宣言の対象県を8道県増やし、合計21都道府県になりましたが、期間は9月12日まで。これまた「仕事している感」を出しているだけだと思います。結局第4回緊急事態宣言下での陽性者は全国的に増加したわけで、効果がないことは明らかなのですから。

陽性者数を減らすのであれば、別の手立てを考えなくてはいけないのに、馬鹿の一つ覚えのように同じ宣言を出し、誰かを悪者にする。次なる悪者は「産まれてくる子供たち」になるかもしれません。「高齢者にうつす人口を増やすな!」とね。(21/9/9)

◇パンデミック初期に安倍総理(当時)が唐突に決行した「一斉休校」は、感染拡大を防ぐ効果は無かった、という研究結果が2021年10月に発表されました。学習院大学、静岡大学、ハーバード大学の共同研究だそうです。要するに休校した自治体とそうでない自治体とに差が出なかったということですが、ニュースとしての扱いは小さいものでした。

全員を満足させる政策は存在しない

「Ｇｏ Ｔｏトラベル」補助金の対象から、東京都民と東京発着の旅行が除外されたのは２０２０年夏でした。それに伴うキャンセル料を、政府は「補償しない」と言ったのに、反発を受けたら、急に「補償を検討」って何だったのでしょうか。私はしぶとく覚えています。

あのね、あたしゃ、政治の専門家じゃないけど、「決めたことはやる」って、なんでお前たちは言えねーんだよバカ野郎！　このキャンペーン自体の是非はさておき、給付金の時も、「困っている家庭に30万円」だったのに、反対する公明党から「連立から離脱するぞ！」と恫喝されたり、メディアが「分かりにくい！」と言ったりしたら「全員10万円」になった。

前述のキャンセル料にしても、２万円かかる旅費を１万円にできる！　と喜んだ都民や旅行会社なんかが「話が違う！」と激怒したら、政府は旅行会社の損失を補償すること に。ただね、この東京除外の理由って、コロナ感染者数が他道府県よりケタ違いに多かったからなんですよ。

旅行の目的地が震災や豪雨で甚大な被害を受けた場合、こうはいかない。「割引されると思っていたのに、満額払わなくちゃいけないならキャンセルしたい！」どころではなく、そこにはもう行けませんという事態になる。そんな場合でも、旅行代理店の契約書の定款にもよりますが、「災害であってもキャンセル料は徴収します」的なことが書かれている。

言いますよ。あの「Ｇｏ Ｔｏ」割引キャンペーンを使いたかった都民は得したいだけの人でしょ？　今のご時世、都民が全国でどのような扱いを受けているかを思えば、旅行してイヤな思いをするのではないでしょうか。

都民が地方で恐ろしがられ差別されている――。そんな状況をネットで見て、出張した知人に聞いてみると、「今日の感染者３６６人！」みたいな都民がこの時期に地方に大挙するのは、恐怖感を抱かせるだけだと断言していました。地方から東京旅行に行った人にしても、旅行後に「あの人、東京に行ったんだって……」「感染してるんじゃないの……」と近所の噂になるでしょう。

ただ、都民の私としては、コロナ禍で「東京差別」を全国から受けたこと、特に青森県むつ市の宮下宗一郎市長が「人災」扱いをしたことについては覚えておきます（2020年7月13日）。「来ないでほしい」という気持ちも分かりますが、「今まで我慢してきたことが全部水泡に帰す」「今までは天災と言っていられたが、人災というふうになります」とまで言い切り、一部の称賛を浴びました。

「よくもあの時あそこまで言ってくれたよな、この野郎」とは思いますよ。だから、そちらが差別するんだったらこちらもお前らの土地にカネは落とさないぜ、といった「報復の連鎖」が、日本国内では今後発生する気がします。コロナ騒動が終わった後、恐らく「東京都民を排除した自治体一覧」みたいなリストがネットに登場して、その自治体を叩き、「ふるさと納税」をしないよう呼びかける運動が発生することでしょう。

話は政府批判に戻りますが、全員を満足させる政策なんて無理なんですよ。これは日々、ネットニュースを編集し続ければよーく分かります。何を書いても罵詈雑言が寄せられる。

「キャンセル料払います」的な決定をした政府にも、すぐさま「遊びまくりたいヤツに私の税金を使われたくない」という批判が来ますよ。「政治主導」でとにかく初志貫徹しちゃってくださいよ。あんたたち、一応我々の代表なんでしょ？（20/8/6）

◇その後もコロナをめぐる分断と対立を見る場面は増え続けました。「ワクチン打てvs嫌だ」「マスク外すなvs好きにさせろ」「酒飲むなvsもう我慢できない」等々。反発の声を真面目に聞くことのマイナスも考えたほうがいいのでは。

コロナがもたらした「衛生観念革命」の悪影響

これからのテレビドラマについて考えてみます。多くの制作者が「2020年より前」を描きたくなるでしょう。この半年間、常にコロナの脅威に怯え続けてきた日本では、マスク着用者が大多数となり、カップルが手を繋いで歩いているだけでも「そこの2人、くっつき過ぎ！」と「濃厚接触警察」が出てきそうな勢いです。

飲食店では、入る前にアルコール消毒が求められ、テーブルにはアクリル板まである。

大声で騒ぐグループは見られなくなりました。店員は全員マスクをつけている。これからもこの傾向は続くことでしょう。

最近のドラマや映画はリアリティが求められるだけに、こういう状況を描くのって制作者からすれば「勘弁してくれよ」となるはず。だって、道を歩く人はほぼ全員マスクをしていないとリアリティがないわけで、街で一目ボレした美女、みたいな展開は成り立たない。

馴染みの居酒屋の縄のれんをくぐって「よぉ～、冷えるね」「山さん、待ってたよ!」なんていうシーンでも、マスク姿の山さんはそこでさりげなくアルコール消毒をする描写がなくてはいけない。山さんに秘めたる思いを持つ店員・アケミも、マスクをしているので山さんに自分の外見的魅力を伝えきることができないし、無駄話もできない。

1980年代のドラマで、恋人がすれ違いになったり出会えなかったりというのは、携帯電話がない時代だからこそできた演出です。当然、今の若い人にはピンと来ないわけですが、これと同じように、近い将来には、2019年以前の作品は「マスクをしていない人だらけ」「衛生観念がない人・店だらけ」なので、ピンと来ないという人が続出するかもしれません。

コロナ騒動が終息すれば、マスク着用率はかなり減るとは思いますが、アルコール消毒の習慣は残るでしょうし、大人数での宴会、路上でのキスやハグ、スポーツ観戦時のハイタッチといった行為がタブー視され続ける可能性はあります。

コロナ禍で、我々の衛生観念は劇的に向上してしまったのです。接触行為は、人と人との親密さや仲の良さを端的に表すものなのに、これらをドラマで描くと、「ウイルス感染拡大を助長するのか！」などと、〝良識派〟がテレビ局にクレームをつけるはず。

そうなると、今年以降の世界は作品の舞台から敬遠されることになるのでは。何しろ今や、過去作品のタバコを吸うシーンやヘルメットなしでのバイク運転、シートベルトをつけない刑事も自主規制の対象に。それに加え、マスクをしない店員や、サラリーマンものの会議での丁々発止、口角泡を飛ばす議論もご法度になる。会議ではソーシャル・ディスタンス、とばかりにバカでかい会議室にまばらな人数がいる状態に。

医療モノにしても、米倉涼子演じる大門未知子は手術シーン以外でもマスクをし、あまつさえ防護服まで着ている。膝上スカートで美脚見せまくり！　なんてことはできなくなってしまうかもしれません。

作品制作にあたっては人種の割合を考えよとか、現実に即せとかいちいち面倒くせー。

フィクションを見ている、って考えればいいだけじゃないですか……。(20/8/13・20)

◇意外と「マスク着用」ドラマは増えませんでした。マンガでも相談役になった島耕作はマスクを真面目につけていましたが、他の作品はマスクなしのパラレルワールド。フィクションの世界を楽しむ時くらいはマスクを忘れたいという気持ちからか、単に登場人物の区別がつけづらいからか。

リスクゼロ至上主義のこんな落とし穴

今この原稿は、ネットの報道番組『ABEMA Prime(アベプラ)』の取材陣が私の事務所にいる状態で書いています。「アンタはどんな仕事っぷりなのさ、エッ! 教えなさい!」と言われ、密着取材されております。

36度の猛暑の中、3人の撮影クルーがやってきて、全員脇の下には汗びっしょり。それでも我が事務所内ではマスクを外しません。

「皆さんはコロナ感染者じゃないので、ここでは外してもかまいませんよ」と伝えたのですが、プロデューサーK氏はこう言うではありませんか。

「いやぁ～、中川さんみたいに取材される側だったら構わないのですが、我々がカメラの中に見切れて（画面に入って）しまった場合、視聴者から『コロナ対策がなっとらん！』とお叱りを受けてしまいます。きちんと対策していることを画面からも伝わるようにしなくてはならないのです」

　これを聞いて「確かにそうだよなぁ」と頷く一方で、「そんなクレーム、無視すればいいんじゃね？」とも思いました。

　世の中はかくのごとく「大丈夫ですよ、気を遣っていますからね」式のエセ配慮がまかり通り過ぎています。最近発売された『自粛バカ』（池田清彦著・宝島社）という本は、リスクゼロを追求するバカな日本人像がコロナ禍によって炙り出されたことを、これでもかとばかりに実例と共に紹介する本です。

　この「リスクゼロ思考」ってヤツは厄介です。自分も含めて最近アホらしいな、と思うのはバスに乗る時のこと。よく東京・渋谷から六本木まで都営バスに乗るのですが、最後尾の席に座るようにしています。で、入ってくる乗客も次々と後ろの席の方に座るんですよね。

小池百合子都知事ではありませんが、「密です！」と言いたくなるほど後ろの方がびっしりと埋まっていく。そして、前方はガラガラ。

なぜそうなるのか。バスというものは、無料ということもあり高齢者が乗る場合が多く、前方に「優先席」が配置されているため、若い乗客は皆この優先席を避ける。「優先席に座る不遜な若者」と見られるリスクよりは「皆が選んでいる3密」を選ぶ方が、不届き者と見られるリスクは少ない、と考えてしまうのです。

しかし、このバスに乗る人々は、始発の渋谷を除けば、高齢者や身体障害者はほとんど乗ってこないことを知っています。それなのに「もしかしたらおじいさん、おばあさんが乗ってきた場合、私が優先席に座っていたら人でなし扱いされるかもしれない……」といった恐怖を覚え、優先席に座らず、密な後部座席に座るんですよね。

六本木では多くの人が降り、またそこそこ乗ってきて乗客の入れ替えが起こりますが、ここでも新たに乗ってきた客は後ろに集中。

「リスクゼロ」を無意識に判断し、瞬時に「より自分が非難されない方」を選んで非合理的な行動を取ってしまう。前述したABEMA Primeクルーのマスクについては、「クレームを受ける」という実害があるため、彼らの説明は理解できます。でも、誰もクレームをつけぬであろう「密集を避ける」ことより人目を気にして優先席に座らない愚をリスクゼロ思考はもたらしてしまったのです。(20/9/3)

◇2021年11月にはついに全国47都道府県の多くで感染者ゼロ、都内でもヒトケタという状況が来ましたが、それでも国民は真面目にマスクを着け続けています。「気を緩めるな」と言い続ける専門家が自粛のリスクには目を向けないまま2年が経ちます。

2020年、我々は休み過ぎた

西村康稔経済再生担当相が年末年始の17連休化を経済界に要望へ、というニュースが入ってきました(2020年10月末)。

それだけはやめてくれ。西村氏が言うところによると、正月の初詣や帰省・Uターンラッシュを分散化させることにより、「密」を避けるそうです。いや、もうさ、コロナの死者数はインフルエンザより少ないわけだし、若者はほぼ死んでいないんだから、死亡率がいきなりはね上がる高齢者だけに自粛を求めればいいでしょうに。

起こり得る事態を考えてみます。まずは経済の問題。固定給で働く正社員・正職員とは異なり、非正規労働者やフリーランスは収入が減ります。2020年4月の緊急事態宣言と、長きにわたって続けられた自粛により、すでに年収が激減したであろう人に対して、政府はさらに追い打ちをかけるつもりですか？　休業補償を求める声も出るでしょう。それに対してさらに税金を投入し、給付用の人員を外注するカネがかかり、再び不正受給が相次ぐ。

8月の自殺者は前年比246人増（+15%）の1849人となりました。コロナとの因果関係は分からないものの、明らかに増えています。正月明け以降、さらに自殺者が増えないか心配です。高齢者の命を守るために若者が死んで何になるのか。

企業も工場の閉鎖を続けたら売り上げは減るし、当然従業員にも給料が払えなくなり、まずは非正規が切られるでしょう。続いて中小企業が倒産する。一方、17連休で売り上げが良くなる観光業界では、働き詰めになる従業員が出てきて離職率が高まる。経済の面では、いいことはまったくないのです！　2020年、我々はもう休み過ぎました。

こうした提言をする国会議員や官僚はボーナスの減額などはするものの、安定した給料をもらえるわけです。我々は皆さんと違うんです！（福田康夫風）

続いては家庭不和です。春から夏にかけて「一日中夫がいてもう耐えられない」「妻の仕事人としての顔を見てドン引きした」「子供の面倒を見続けてもう頭が狂いそう」「一日3回の食事の支度がきつい」みたいな声が多数聞かれました。実際、コロナを経て「この人とは考えが徹底的に合わない」と離婚する夫婦も出ました。

しかも、年末年始は受験の直前にもあたるし、学校や塾、予備校で勉強できなくなった場合、人の一生を左右しかねません。

「お前、『やめろ』というなら対案を出せ」と言われるので、対案を出しましょう。そんなに初詣の「密」を警戒するなら、「別に初詣は三が日に行くから効果が高いわけではない。その年初めて詣でる日が『初詣』なので、皆さん、慌てないでください。少しくらい遅れても、神様はあなたを邪険に扱いません」とだけ言えばいい。それでも三が日に行く人は自己責任。別に初詣でクラスターが発生するとは思えませんが、こうでも言わないと日本人は本当に動かないんですよ。

なんでこんなに従順な国民性なんだろう。私みたいにお上の言うことにもまったく耳を傾けず、法律違反や犯罪をしない範囲で好き放題生きている人間からすれば、皆さん、リスクゼロ信仰をそんなに大切にして生きていて、息苦しくないですか？　と本気で心配しちゃいます。（20/11/12）

◇コロナ禍初期には「パチンコ屋」「Ｋ－１」「東京事変のライブ」などが「感染を広める！」と槍玉にあげられましたが、結局、そこでクラスターが起きたという話はまったくありませんでした。あの時警告していた専門家はどう思っているのでしょう。大規模イベントでクラスターが確認されたのは愛知で開催された音楽フェスくらいでは。

コロナ3年目の大きな疑問

先日、茨城県出身の男性と飲んでいたのですが、弊社社員・Ｙ嬢が彼にこうツッコミを入れていました。

「なんで茨城の空港って国外向けの愛称に『東京』を付けようとしたの？　無理あり過

はい、英語表記では「Tokyo Ibaraki International Airport」で、中国語では「東京茨城國際機場」で、明らかに「東京」を名乗ろうとしていました（反対を受け中止）。

「茨城だって東京圏の一部である！」「成田空港だって『新東京国際空港』じゃないか！」という理屈を言い出しそうですが、新・加勢大周か！

この手の話になると千葉県浦安市にある東京ディズニーランドが引き合いに出されます。浦安だったらまぁ、江戸川区の隣なのでそこまで違和感はないですが、茨城空港はさすがにキツい。

とまぁ、こういうバカ話で酒を飲んでいたのですが、Y嬢が再び地名に関する疑問を持ち出し、我々は再び盛り上がるのでした。

「地図帳の最後に47都道府県のデータがあったけど、そこに県庁所在地も書かれてあるじゃん。なんで東京だけ『東京』なの？　ヘンじゃない？　『東京市』なんてないでしょ？　本来『新宿』と書くべきじゃないの？」

これにも我々は「確かに」と言ったのですが、Y嬢の追及は終わらない。

「大阪の府庁は大阪市中央区にあるけど、こちらは『大阪市』で整合は付いている。でも、東京の『東京』は納得できない！」

これも「確かに」としか言いようがないのですが、こうした細かいことに疑問を抱く人というのは頭が良いのでしょうね。漫画『美味しんぼ』では、主人公の山岡士郎が宿敵・海原雄山から「ポン酢の『ポン』とは何だ?」と問いかけられ、それに答えられなかったことで「グヌヌヌヌ」と悔しがるシーンがありますが、海原雄山もよくそんな質問が思いつくものです。

そう考えると様々な疑問が出てきて、童謡『山寺の和尚さん』の歌詞も気になる点が非常に多い。和尚さんがネコを「かん袋」とやらに詰め込んで蹴っ飛ばしたらネコがニャンと鳴く、といった歌詞があります。これってただの動物虐待でしょうよ！　しかも鞠を蹴りたい欲求があったけど鞠がないからネコを代わりにしてしまうって、和尚さん、あなた一応聖職者でしょうよ！　そして謎の「かん袋」ですが、どうやら「紙袋」のことだそうです。

とまぁ、この世の中は不思議なことに満ち溢れていますが、コロナですよ。もう騒動開始から3年目に入りましたが、どの専門家も陽性者が増えた時は理由としてこう言っていました。

「気が緩みマスクを外す瞬間があった」
「年末年始で会食の機会が増えた」
「酒で気持ちが高まり大声で喋った」
「帰省で人流が増えた」

そして減った時は「マスクをピタッと着けた」とか「気が引き締まった」など根性論ばかり。挙句の果てには「不自然な減り方だ……」なんて分析を投げ出す人もいる。

そもそも約80％がワクチンを2発打ち、都市部では99％超がマスクをしているのになんでこれほど陽性者の増減があるんですか？　そろそろ「マスクをしない人間が悪い」「ワクチン非接種者が悪い」論法、破綻してませんかね。どうせ誰も答えられないんだろうけど。（22/1/27）

◇弊社社員Y嬢とは学生時代からの仲です。20年も一緒に働けている理由は、仕事能力はもちろんのこと、「おかしいでしょう」「こうなんじゃないの？」と誰に対しても言える度量があるからです（もちろん私に対しても遠慮ない）。

庶民の怒りポイントを突くとどうなるか

公明党の遠山清彦氏が議員辞職しました。理由は、緊急事態宣言下の外出自粛要請中に東京・銀座のクラブを訪れていた件と、過去にキャバクラの飲食費を政治資金から秘書が支払っていたことがバレたから。また、銀座のクラブに行っていた自民党の松本純氏、田野瀬太道氏、大塚高司氏は離党しました。

確かに国会議員は「範」を示すことが大事ですが、これ、バカな人には「銀座のクラブに行くのは悪いこと」というイメージがついちゃったんじゃないでしょうか。銀座のクラブからすればたまったもんじゃない。本誌が報じた当件ではありますが、店自体は悪くない。時短要請に従わず6万円ももらっていなければ、その店の判断です。

もうこの4人、ここまでズタボロ状態になったのならば、イチかバチかで「コロナ禍における銀座のクラブ及び従業員の貧困調査をしていた」と言えば良かったのに。天下り斡旋で文科事務次官を辞任した前川喜平氏が「女性の貧困調査をしていた」と、出会い系バーへ行っていた理由を述べたみたいにね。

この釈明、野党議員及び支持者は「前川さんは立派な人だ！」と絶賛する根拠にしたのだから、松本氏のことも大っぴらには叩けない。叩けば「前川さんの時と私の場合と、何が違うんですか？」と開き直れる。

それにしてもこの4人、本当に迂闊ですよね。パーッとやりたい気持ちは分かりますが、我慢を強いる側が、「上級国民」しか行けない日本最高峰の銀座のクラブでこんな時期に夜遅くまで飲んだら、「下級国民」からすれば怨嗟の声しか出ない。

女性のいる店に行きたいのであれば、「立川のスナック」「赤羽のフィリピンパブ」「五反田の熟女キャバクラ」にしておけばあそこまで叩かれなかったかもしれません。菅義偉首相や、二階俊博幹事長が1月中旬、猛烈に叩かれたのは「銀座の高級ステーキ店に8人で行った」ことも理由でしょう。同店はドリンクやサービス料も合わせれば一人6万円という説も。

もう今の時代、「銀座」という地名は、庶民にとってカーッと頭に血がのぼるキーワードになっているのです。

栃木県宇都宮市で自民党会派の議員20人が会食をし、そのうちの一人がコロナ陽性だったことを批判されたところ、「食べたのは1000円の弁当。それで『会食』と言われても……」（毎日新聞）と答えた議員がいたそうです。

コレなんですよ！　確かに大人数で弁当食ったのは、コロナに怯える人が多い現状では議員として不適切扱いされるかもしれない。しかし、毎日新聞の取材に「1000円の弁当」と答えた議員はうまいこと言いました。

多分、「吉兆の仕出し弁当（5400円）」とかだったら相当叩かれたと思われます。思い出すのは安倍晋三氏が2012年の総裁選にあたり、3500円のカツカレーを食べて叩かれた件です。

リスク回避というものは、人間のちょっとした怒りのポイントを外すことで達成されます。今回人生からの転落を演じた4人は、怒りのポイントをド直球で突いてしまったわけです。一般の感覚が分からない方は退陣していただいて構わないので、今回バレて良かったです。（21/2/18）

◇議員辞職後の遠山氏の運命は暗転。貸金業法違反容疑で東京地検特捜部が彼の自宅などの家宅捜索に入るなんてこともありました。松本氏は総選挙に出馬するも落選。しかし麻生氏らの働きかけで復党。田野瀬氏は当選後、復党。大塚氏はこの件を機に国政から身を引きました。

コロナで得をする人を考える

コロナ騒動、ワクチン接種が進んでも終わってくれませんね。テレビに出る専門家は「ワクチン打ってもマスク」なんて言い出した。せめてなんか「餌」くださいよ。毎度「我慢の2週間」「勝負の2週間」「真剣勝負の3週間」「山場」「瀬戸際」や「これが最後の緊急事態宣言」と言い続け、自粛を要求してきた。「ワクチン打ったら終わる」はずだったのに専門家や政治家は終わらせないつもり。

ここまでくると、コロナが終わらない方が得する人間がいるのでは、なんて思ってしまうんです。妙な陰謀論は述べませんが、取り敢えず得する人間が誰かを考えてみます。巷でよく言われる製薬会社やそこから謝礼を貰う専門家はさておき、「ヤバいネタを報道されたくない人々」というのがあるのでは。

散々私もメディア運営にかかわってきたから分かるのですが、大事なネタがある時、それ以外の部分がおざなりになるんですよ。それは人員の問題に加え、紙メディアだったらスペースが足りず、テレビなら尺が足りなくなる。

案外今回のコロナ騒動を喜んでいるのは、スキャンダルの三大巨頭である政治家・企業・芸能人ではないでしょうか。政治家の場合、自粛を呼び掛けているのに会食をしていた件がすっぱ抜かれることは増えましたが、それ以外の「過去にパンツ泥棒をしていた高木毅氏」や「不倫疑惑の今井絵理子氏」みたいな報道は少なくなる。

三菱電機の35年以上にわたる不正検査なんて、コロナがない時代だったら一大スクープで連日新聞もテレビも追及し上場廃止に追い込まれてもおかしくない。過去の社長も次々と取材され、「私は当時把握していなかった」などと言い訳に追われていたはずです。

あと、違法薬物で逮捕される芸能人についても報道がダラダラと長引くものですが、昨年でいえば槇原敬之と伊勢谷友介の逮捕についてはそれ程引きずらず皆忘れてしまった。それだけ「コロナと比べればどうでもいい」話題なのでしょう。

それにしても隔世の感があるのは、2020年初め、ネットで最大の話題は、木下優

〈1〉 コロナが生んだ悪者たち

樹菜とサッカー選手・乾貴士の不倫疑惑でした。19年秋の「タピオカ屋恫喝騒動」で時の人となり、延々ネットで炎上し続けた木下に追加のネタが飛び込んできた。

この時クローズアップされたのが、「鬼女《きじょ》」の存在です。5ちゃんねるの「既婚女性板」住民の略で、ネット上の点と点の情報を繋ぎ合わせ線にする、いわばネット探偵団ともいえる存在。彼女達が木下と乾の関係性に着目したことから、不倫疑惑報道にまでなりました。

この頃、私もテレビ出演などして鬼女について解説したり、知り合いの鬼女を番組に紹介したりしました。わずか1年半前までこんなネタで盛り上がっていたんですよね。それが2月13日、屋形船で1月18日に新年会に参加していたタクシー運転手が陽性になった頃からざわめき始め、コロナパニックが開始。すっかり木下と乾のことなんてどうでもよくなり、以来コロナパニックはまったく終わらず。政治家・企業・芸能人の一部はこの状態を好ましく見ているでしょう。

そういやタピオカ屋ってどこに行ったんだろう。（21/8/5）

◇三菱電機の不正検査というのは、鉄道車両向けの機械について35年以上、架空の検査データを顧客に報告していたのではないか、という問題です。この件ですごいのは、架空データを自動的に作るプログラムまであった点でしょう。ブレーキのデータまで捏造していた可能性があるというから、一歩間違えれば大事故だってあったかもしれません。三菱電機は結果としてコロナの恩恵を被ったと言えます。

岸田総理の仕事をしているふりごっこ

岸田文雄首相って何やりたいんだろうか。「聞く力」なんて言っているけど、やっているのは世論を読み、大衆迎合の決定をするだけ。オミクロン株の海外での感染拡大を受け、11月末に水際対策の徹底という名の鎖国令を出したら、読売の調査では圧倒的の「評価する」89%。内閣支持率も前回調査より6ポイント上昇の62%。

これに気をよくしたのか、「まん延防止等重点措置乱発&延長」「金融所得課税見直しで金持ちからカネふんだくる宣言」をします。そして、ロシアに侵攻されたウクライナへの同情が世論と見るや「ウクライナ難民を受け入れる」と宣言。おい、お前ら自民党はイラク、アフガニスタン、ロヒンギャ、シリア難民を受け入れてねぇだろ！　むしろ追い返してきたろ！　白人で西側の人間だからって態度変えるんじゃないよ。

しかしながら、墓穴を掘ったのが、「外国人留学生に10万円あげる」宣言です。何しろ中国人留学生が多いだけに、保守派から猛烈に反発をくらったのです。ツイッターでは左派が作ったかのような「#岸田政権の退陣を求めます」で保守派が盛り上がる事態に。ついに風見鶏大失敗。

そして、彼の問題は「言葉」ですよ！　完全に呆れ果てたのは3月10日、FNNのオンライン版が報じた『【速報】岸田首相　食品値上がりに「緊張感を持って対応」』です。ガソリンに加え、食品まで値上げされ国民生活にどでかい砲弾くらったようなものなのに「緊張感を持って対応」って何だよ。お前は評論家か。もう貧乏国家日本の国民は疲弊しているんだよ。

この「仕事しているふり話法」については、ツイッターユーザー「テキトー」氏が「岸田流『何もしない』の様々な表現方法」としてまとめましたが、こんなのがありました。

「注視していく」「慎重に見極める」「適切に対応する」「検討に検討を重ねる」「警戒感

を持って取り組む」「専門家の意見を伺いながら議論を続ける」

これらはごく一部で、他にもネットユーザーが挙げた「岸田話法」には、こんなものがあります。

「皆さんの声を聞いて検討したい」「あらゆる選択肢を排除せずに検討を続けます」「各国と緊密に連携をし」

これ、すべて言っているのは「私は何も意見を持たないが、いつか判断することもあるかもしれないです。とりあえず、この会見は仕事をしているふりごっこをさせていただき、この場を乗り切らせてください」という意味です。

つくづく思うのが、この男、ただ首相になりたかっただけじゃないの？　ということです。鳩山由紀夫氏の場合は恐らく「世界平和」「中韓と仲良くする」といったことは成し遂げたかったでしょう。安倍晋三氏は「憲法改正」「北方領土奪還」はあったはず。自民党総裁選に出馬経験のある野田聖子氏は「男女同権」で、高市早苗氏は「国防強化」はなんとなく感じられる。

しかし、「経済破壊相」こと西村康稔氏と岸田氏には「とにかくオレは総理大臣になりたいんだもんね！　あとは知らん！」というニオイしか感じられないんですよ。私に

とって岸田氏はわずか69日で辞めた宇野宗佑氏に次ぐボンクラ首相です。(22/3/31)

◇2022年5月19日、「〝岸田ノート〟がメルカリ出品」というニュースが流れました。この前日「岸田派」の政治資金パーティが行われ、そこで配られた総理のサインの印字入りのノートが早くも売りに出されたのです。記事では、総理もこの事実を知っており、「それだけ評価していただいて大変ありがたい」なんてコメントしたとのこと。……悠長過ぎる。ちゃんと見ろよ。出品された〝ノート〟、だいぶ売れ残ってるぞ!

無能な働き者たちが

日本野球機構(NPB)って未だに2020年春を生きているんですかね……。開幕以来楽天、DeNA、オリックスの選手・スタッフに新型コロナウイルス陽性者が続出した結果、試合が軒並み中止に。

このままいくと、全チームから陽性者が続出し、興行が成立しなくなるから「検査禁止！ 体調悪い選手はとにかく休め！」とでも指示を出すのかと思ったら……まさかの開幕時の基準「月1回の検査」を4月8日には「2週間に1回」に変え、さらには11日に「1週間に1回」に変更するではありませんか！

「とにかく大量に検査をしなくてはならない！」と2020年春に玉川徹氏と岡田晴恵氏がテレビで絶叫しまくっていましたが、あれから2年、NPBは玉川氏と岡田氏でさえ今では主張しなくなった古臭い理論に戻ってしまった。他のイベント関係者がマネしたらどうするんだよ、おい！

春のセンバツ高校野球でも陽性者が出たチームは辞退をしたし、高校ラグビーに至っては東福岡高校が出場するはずだった決勝戦が、5日前に対戦したチームから陽性者が発見されて中止に。後に決勝の相手だった報徳学園との練習試合が組まれたのは不幸中の幸いでした。

完全に世界と逆行している状況ですが、もしかして、日本って想定よりも大幅に馬鹿な国なのではないかと最近しきりと思うようになりました。日本よりも圧倒的にコロナ被害が多かったウクライナ（人口約4400万人、累計陽性者500万人、累計死者11万2000人）の人々はマスクどころではないわけですが、ボリス・ジョンソン英首相はかの地を訪れ、視察したのです（ちなみに日本は人口1・26億人、陽性者数718万人、死者2万9000人）。ひょっとして日本はコロナの方が戦争よりもヤバいと思っているのでは……。

今でも学校給食は「黙食」強制中。黙って前向いてメシ食い、マスクを外して15分経つと濃厚接触者認定されるから14分でメシを食え！　ってヤツですね。それにしても日本の無能な働き者は余計なキャッチフレーズを作るのだけは上手だな。最近、感染症対策馬鹿ポスターを振り返っていたのですが「黙○○」関連だけでも以下がありました。「黙浴（銭湯他）」「黙蒸（サウナ）」「黙飲」「黙煙（喫煙所）」「黙歯磨き（職場）」「黙化粧直し（職場）」「黙乗（バス）」「黙筋トレ（ジム）」「黙カラ」は「心の中で歌うだけ」かと思ったらさすがにそうではなく、「歓声」ではなく「手拍子」「拍手」をし、歌う人はマスクを着けるそうです。

コロナって無能にとっては「仕事しているつもり」になれる最高の機会だったんじゃないですかね？　何しろ「マスク・手洗い・3密対策を！」と訴え、ポスター作って「大切な誰かを守る行動を」とか「思いやりワクチン」とか言っておけば、とりあえず仕事の成果物は出せるわけですよ。

普段は目立たない部署の人々（含むＴＶに出る感染症の専門家）にとって千載一遇の目立つチャンス！　こりゃ終わらせたくないですね。

しかし、今年激弱の阪神ファンにとっては、もはやコロナ陽性者登場による試合中止しか希望がないというのが悲しい限りです。（22/4/28）

◇感染者数が落ち着き始めた2022年5月、突如都内で増え始めたのがコロナ無料検査場でした。東京、品川、上野、新宿、池袋の5駅に都が設けた臨時検査場で、午前8時から午後8時まで対応。このほか都内約870か所で無料の検査が受けられる。まさか陽性者数を「維持したい」の？　ちなみにこれは大型連休に合わせた対策でしたが、6月末まで延長されることに。一体、幾ら掛かってるんですか？　人が来ないから、新橋では〝サンドウィッチマン〟2人が客引きをする程でした。

〈2〉「呪われた五輪」を忘れるな

聖火リレーは感動的でした

とにかく批判殺到した東京五輪の聖火リレーですが、実際に見ると感動するんですよ。

東京五輪は、「コロナ感染拡大に一役買っている害悪イベント」という捉え方をされ続けました。開催反対デモも行われ、弁護士の宇都宮健児氏が立ち上げた五輪開催反対のネット署名が5日で30万筆を突破。水泳の池江璃花子選手にSNSで辞退を促す中傷が多数寄せられる事態にまで。

「悪の象徴」として扱われがちな自民党と電通がかかわっているということが、五輪の不人気に一役買っている面もありますが、世論調査でも7割が中止か再延期を求めていたのです。

緊急事態宣言が出された際、対象地域のプロ野球などが無観客試合にさせられましたが、こうした時は「でも東京五輪はやるんですね（苦笑）」といったツッコミが入るのも定番です。

さらに、聖火リレーについては、番組スポンサーの車のどんちゃん騒ぎの後ろに聖火ランナーがおまけのようについてくる、商業主義が過ぎる！　との批判的論調の報道も出ました。

私もそうした感覚を抱いていたため、冷めた目で聖火リレーを見に行ったのですが、感想としては「いいものを見た」というものでしかありません。私の会社員時代の同期が某社で聖火リレーの担当をしています。だからこそ彼を激励に佐賀県嬉野市まで行き、そしてこの日の最終地点である私の地元・唐津市でのセレモニーも見に行ったという事情があります。彼がいなかったら絶対見には行っていないでしょう。

そんな人間ながらも「良かった！」と言えた理由はとにもかくにも「この人達、4ヶ月もの長期間にわたり日本全国で人々に少しばかりの希望と娯楽を与えてくれている」と痛感した点にあります。

不評だったスポンサーの隊列ですが、車の中のスタッフは笑顔で手を振り、パフォーマーも懸命の笑顔で踊りながら行進を続ける。宣伝目的なのにそんなものをありがたがるとはバカ過ぎる、という批判もあるでしょう。でも、暑い中マスクをつけて笑顔で手を振ってくる人には、同じく笑顔で手を振り返したくなるものなんですよ。

私は野球のチアリーダーや遊園地のパレードにも笑顔で手を振ったことがありません。しかし、今回は「呪われた五輪」などという言われ方をしたこともあってか、そんな逆風の中仕事をこなすこの人たち、そして沿道のボランティアにも感動してしまったのです。

暗くなってから、唐津のセレモニー会場（人数少なかったですよ〜）で、この日の最終聖火ランナーが聖火台に火を灯した後の山口祥義知事のスピーチも良かった。趣旨はこんな感じです。

「138年前の今日5月9日、唐津も一緒になって現在の佐賀県が誕生しました！」

「1964年、東京五輪のアテネからの聖火は、当時空輸が困難だったが二人の佐賀出身者がこの偉業に貢献。そして今回のこのトーチ、佐賀出身の吉岡徳仁さんによるデザインです！　聖火リレーは佐賀のものなのです！」

ちなみにスタッフに聞いたのですが、前回のリオ大会の聖火リレーでチーム内恋愛が続出して風紀が乱れたことから、チーム内恋愛は禁止だそうです。（21/5/27）

◇東京五輪によるクラスター、感染拡大などが発生しなかったことも影響して、今では多くの人にとって良い思い出になっているのではないでしょうか。聖火ランナーの中には、使用したトーチを店に飾るなど有効活用している方もいるようです。

反対派は「最悪の事態」を望んでいる

東京オリンピック、日本のメダルラッシュ、最高ですわ！　これだよ、「スポーツの力」ってヤツは。私は毎日五輪が放送されているのが楽しくて仕方がありません。散々「五輪を強行すると人が死ぬ」と反対されましたが、あんまり人、コロナで死んでませんよね。いいことだ。

さぁ、そんな状況ですが、なぜ五輪が素晴らしいかといえば、これまでの自分の人生の各所で五輪が記憶として並走してくれていたことにあります。私は１９７３年生まれのため、初めて見たのは84年のロサンゼルス五輪でした。小学生になっていた80年のモスクワ五輪は日本がボイコットしたため見ていません。

ただ、84年以降、五輪の思い出は自分の記憶に残り続けてくれています。変なナショナリズムというわけではないです。とにかく世界最高峰のアスリートの活躍が凄すぎるんです。

ロサンゼルスでは、体操・具志堅幸司の満面の笑み。88年ソウルでは、ベン・ジョンソンに一回は負けたにもかかわらず祝意を示したカール・ルイス。そして、その後のジョンソンのドーピング違反発覚でのルイスの金メダル。92年バルセロナは、遠くから放った矢で聖火台に点火し、開会。当時、リビングにしかなかったエアコンで涼むため、一家でテレビの前で寝たことを思い出します。そして古賀稔彦の金メダルとマイケル・ジョーダンを含むNBAのスターが登場したドリームチーム！

その後も「マイアミの奇跡」「井上康生、表彰台で母親の遺影を掲げる」「吉田沙保里、優勝後、コーチを肩車」「ウサイン・ボルト、北京で9秒69」「ロンドン大会開会式でポール・マッカートニーが『HEY JUDE』を歌う」「リオでは男子400メートルリレーで日本銀メダル」など、本当に様々な印象的なシーンがありました。

五輪とサッカーワールドカップって、案外その時の自分の置かれた状況を思い起こさせてくれます。そういった意味で、反対派もいるのは分かりますが、私自身にとっては良い節目として存在してくれています。

五輪に反対する人って、周囲が盛り上がっているのを冷めた目で見たい方々なのでしょう。だからといって反対運動を起こしたり、妨害するのってやり過ぎじゃないですか？　あなた方がネットで反対を表明しまくり、それで溜飲を下げるだけでいいのではないでしょうか。多くの人が楽しむものを妨害するのって、あなた方の存在自体が邪魔ですよ。

本稿が掲載されるのは五輪の終盤ですが、これを書いている7月末日、東京では2800人超のコロナ陽性者が出た！　と大騒ぎです。

さて、発売日頃に東京は医療崩壊しているのか？　私のような五輪大好き人間からすれば、望まない事態ですが、皮肉なのが五輪反対派は医療崩壊や死者続出を願うところです。彼らは自身の「五輪反対！」の論調を強化するために被害の拡大を望むというパラドックスに陥るのです。一方、私のような五輪賛成派は「被害が少なくなればいいね」という実に人道的なことを考える。こちらの方がよっぽどまともな考えですよ。

(21/8/12・19)

◇東京都のコロナ感染者数は五輪後の8月13日、最多の5908人を記録しますが、これは五輪ではなくデルタ株の影響だという見方が主流です。五輪ではアスリートたちが、反対派に配慮したコメントをしているのも印象的でした。あんなに肩身の狭い思いをさせたことを、「反対！」の人たちは今どう振り返っているのでしょう。

海外記者は何をツイートしまくったか

東京五輪開幕前まで、盛んだったのが「海外の記者や選手が日本に不満」という報道です。制約が多過ぎる、メシが高くてまずいなど手を替え品を替え、「海外様からも不評だ！」とメディアは五輪叩きに勤しんでいました。しかし、実際に始まると、選手達は選手村が快適だったことや、食事がおいしいこと、ボランティアやキャンプ地の住民が親切だったことをSNSで報告しました。

私にとって特に印象的だったのがカナダ、CBCのレポーター、Devin Her

ｏｕｘ氏のツイートです。８月１日、水泳会場近くでバスに乗る関係者や記者に手を振り続ける日本人の親子に感動した、という件は日本のネットニュースにもなりました。同氏はカナダ選手の活躍だけでなく、セブン‐イレブンで何を買ったか、など日々日本での生活をツイートし続けました。

この日、Ｈｅｒｏｕｘ氏はＹｏｋｏという日本人女性から小包が届いたことも報告。そこには、日本の暑い夏に必要なうちわや、彼女の息子が好きだという新幹線のレゴブロックや犬とハンバーガーのブロック、そして手紙が入っていました。英語で書かれた文章を読むと、Ｈｅｒｏｕｘ氏を含めた記者が行動制限されていることを申し訳なく思っているようで、コロナが終息したらぜひまた日本に来て欲しい、とあります。Ｈｅｒｏｕｘ氏はこれに感動し、レゴが完成したら写真を送るとも宣言。同氏は翌日のツイッターで「昨日は私の仕事人生の中でも最高の日の一つだった。メダルのお陰だけでなく、手紙。親切さ。人情。コミュニティ」と、振り返りました。

このように、外国の五輪関係者は案外日本の「お・も・て・な・し」に満足したように見えます。ここでは、私が実際に東京で体験した外国人記者との時間を振り返りましょう。

毎月1回、ABEMA Primeという番組出演のため東京出張があり、毎回銀座のホテルに泊まります。ここは五輪記者の取材拠点の一つでもあります。五輪期間中の夜、渋谷で飲み、山手線に乗り込んで有楽町で降りようと思ったら不覚にも寝過ごし御徒町に。戻る電車はないのでタクシーで件のホテルまで戻ったら1時になっていました。

するとホテルのロビーでは記者10名ほどが五輪公式ビールのスーパードライやら缶のレモンハイを飲んで大騒ぎ！　あーっ！　マスクをしていませんね！

これでいいのです。皆さん、外出時間はコンビニ等への買い物15分間という制約があるそうですが、コンビニでおいしいものをなんとか見つけ、楽しんでいるのです。

私はイスラエル人とドイツ人記者と話をしたのですが、２人の話をまとめるとこんな感じ。

「想定していたより良い五輪だね。プレスセンターは快適だし、競技も盛り上がっている。コンビニ飯もウマい。外で酒が飲めないのは残念だが、オレたちは朝から晩まで仕事しているからどちらにせよ時間はない。こうしてホテルで飲めているから構わない。ルールの適用は厳格かって？　おい、彼（ホテルの監視員）を見ろ。15分過ぎても容認してくれる」

翌朝も彼は私に声を掛けてくれ、「日本の成績、すごいじゃないか。でも、ドイツもやるからな」とニヤリと笑い取材に行ったのでした。(21/8/26)

◇五輪と直接関係はないのですが、コンビニへの賞賛の声は多かったようです。クオリティのわりに価格が激安なのは多くの海外の人にとって驚きだったのではないでしょうか。イギリスの「エコノミスト」誌が発表する「ビッグマック指数」(マクドナルドのビッグマックの価格の違いから為替水準を探る指数)のもとになっている価格を見ると、2021年、日本では390円のビッグマックが、アメリカでは5・65ドル(621円)。イギリス521円、韓国でも440円なのです。

語り継ぐべき昭和のドス黒さ

過去を美化する傾向、やめてほしいですね。2020年7月末、CNNの日本語版サイトに掲載された国際環境NGOグリーンピース・ジャパンの女性広報担当者による、

「30年前は使い捨てのプラスチック包装などなかった。新聞紙で物を包み、食料品は風呂敷にくるんで持ち歩いていた」発言がネットで物議を醸しました。

確かに八百屋では新聞紙でくるんでもらい、それを買いもの袋に入れていた時代はありましたが、「30年前」ってバブルの時代で、プラスチック製品を大量消費してなかったか？ と。マクドナルドではビッグマックやフィレオフィッシュが発泡スチロールの容器に入っていて、これが環境に負荷を与えると批判され、30年前にアメリカで廃止されて日本も追随した過去があります。

こうしたツッコミもあってか、記事中の「30年前」は「昔は」にこっそり変更されましたが、彼女の家族は鍋を持って豆腐を買いに行っていたそうです。顔写真を見ると46歳の私よりも随分若そうですが、私の家から100メートル離れたところにあった東京・立川の豆腐屋では35年前、毎度パックに入れ、青いビニール袋に入れてくれていたことを思い出しました。鍋持って買いに行かされたことはありません。

この方は風呂敷の使用も推奨しているのですが、それって60年ぐらい前の話じゃないんですかねぇ……。ただし、コカ・コーラやファンタといった炭酸飲料は瓶に入っていてリサイクルされていました。店に返すと500㎖瓶は10円もらえ、1ℓ瓶は30円もらえるというシステムは、確かにエコといえましょう。しかし、悪ガキが飲食店の裏に置かれている瓶を盗み、酒屋に持って行って換金していたのでした！

昔も良いところはあったのですが、昭和がどんどん美化されていくのは勘弁願いたいところです。というわけで、昭和時代のドス黒いところは語り継がなくてはならない。一気に挙げます。環境問題とはあまり関係ありません。30～40年前にはそれが当たり前だった、私の記憶の中の耐えられない世界です。

電車でも飛行機でもタバコが吸えた
分別回収なんてなかった
ボットン便所がそこそこ残っており、悪臭がヒドかった。で、バキュームカーが屎尿を回収に来て、これがまたクサかった
「ほか弁」「コンビニ弁当」はすでにあり、プラスチック包装だった
タバコはポイ捨てするのが当たり前だった
駅のホームには「タン壺」があった
酒屋で冷えたビールを買うと「冷やし料」を5円取られた

ビックリマンチョコのシールだけが欲しくてチョコは捨てていた
中年女性を徹底的に下卑たあつかましい存在として描く漫画『オバタリアン』が大ヒット、文藝春秋漫画賞を受賞した上に流行語大賞受賞
中学教師が巨大シャモジを持ち、生徒を廊下に並ばせて尻を叩いていた
野球部の練習では「尻バット」が当たり前

今の時代、どれだけ右の問題が解決されたのか！　そう考えると日本はレジ袋使い過ぎ、と言われるものの、こうした問題を解決するのに大変だった歴史があって、レジ袋にまでまだ手が回らなかったと解釈してもいいのでは。（20/8/27）

〈2〉「呪われた五輪」を忘れるな

◇レジ袋有料化は反発を招きながらも定着しています。しかしそれによってどのくらいの資源が節約できたかは不明で精神運動の域を脱していない感じもします。小泉環境大臣（当時）は、プラスチックのスプーンなどをなくすことにも意欲を見せました。マイスプーンを持てということらしいですが、不潔ですよね。

中国様の技術力より、「モルゲッソヨ像」を

２０２２年2月、北京五輪が開幕しました。日本のＴＶが、まんまと中国共産党の策略に乗せられていますね。あまりにも中国のハイテクと「厳格なコロナ対策を講じ、世界中の人々の命を守ろうと努力している」様を放送し過ぎ。これを見た日本の視聴者は「中国様の技術力にはもはや敵わねぇ〜。中国企業様にオラ、就職するだ」となるかもしれません。

日本選手団が中国入りした翌日、朝の情報番組を複数見ると、取り上げられていたのは「食堂の自動調理システム」「そうして作られたものが自動で運ばれ、席まで降りてくる」「宿の部屋にロボットが食事を運んでくれる」「ロボットが消毒液を撒布している」「空港職員は防護服着用」「火炎放射器で消毒」などでした。

五輪については開催国の先端技術お披露目という見本市的な側面もありますが、日本は昨夏の東京五輪で「ボランティアスタッフのホスピタリティが素晴らしかった」「コ

ンビニのレベルが高い」と海外メディア様から称賛された程度です。しかも、パラリンピック期間中、選手村を走る自動運転のトヨタの車が視覚障害の選手に軽傷を負わせ、自動運転オペレーターのトヨタ社員が書類送検される始末。

取材するレポーターはとにかくネタが欲しいから目についた「オッ！　すげー！」と思ったものを報じているのでしょうが、結局それが中国がいかに素晴らしいかのPRをしていることになっている。

中国の様々な人権問題やら、コロナ発生源のくせに、「我が国は封じ込んでいる」と自慢げに世界各国を見下すような態度。そんな国の最新技術を「来てるね、未来！」と有難がって報じる日本のメディア。「中国の宣伝なんてしねーよ。オレはスポーツの報道をするために来たんだ」という割り切りができないのでしょうか。

もちろん、派遣された取材陣は画期的な何かを日々報じる必要があって来ているのでしょうが、北京市民の盛り上がりの様子（ないしは冷めた様子）や、共産党による国威発揚策の紹介などを競技開始前はもっと報じてもいいのでは。どうせ、取材していい範囲というのは、先方が決めているわけで、都合の良いものしか見せない。そこにホイホイと乗っかったバカメディア人には呆れるわ。

そうした意味で私が見事だと思ったのが2018年の韓国・平昌五輪の際、東スポが報じた「モルゲッソヨ像」です。一体これが何かといえば、会場近くにシルバー色の筋骨隆々で性器まで見せた謎の男の像が多数置いてあったのですが、この像の頭部は、覆面状の装飾がなされている。正式名は「弾丸男」、でもどうしても巨大男性器のオブジェにしか見えないんですよ。

東スポはこれが何かを知りたくて近くを通る韓国人に聞いたら「モルゲッソヨ（分からない）」と返事したことを記事化、日本のネットではコレが「モルゲッソヨ像」として絶大なる人気を誇ったのです。

あの時韓国政府は北朝鮮との融和をPRしたかったはずですが、それほど融和せず。だから韓国にとってはさほど重要ではないモルゲッソヨ像が注目された。その点、中国の外交力はさすがのしたたかさです。（22/2/17）

◇北京五輪の公式マスコットはビンドゥンドゥン。「ビン・ドゥンドゥン　北京オリンピックマスコット　なぜ人気に？」なんて暢気すぎる記事をNHKも出していました。仕事しろ。

昭和の名曲は炎上の火薬庫

もしも、歌謡曲の『3年目の浮気』（ヒロシ&キーボー・1982年）と『ホテル』（立花淳一・1984年）が2020年の新曲だったら——。

ツイッターで即座に炎上、「炎上ウオッチメディア」がこぞって記事にしてこの2つの曲を販売中止に追い込んだことでしょう。

「マルちゃん正麺」のツイッターPR漫画が炎上しました。理由は、在宅勤務の父と息子が「マルちゃん正麺」を食べたのに出勤した母は食べていないから。ラーメンを食べていない母親が皿洗いをし、夫が皿を拭いているコマがあったからです。最後のコマ、これだけで、「なぜ食べた自分が皿を洗わない！」と叩かれる時代です。

そして、たいした数の批判でもないのに、メディアが「批判が寄せられている」と「炎上」を演出し、企業が謝罪してその表現は闇に葬られる。ちなみに「マルちゃん正麺」はPR漫画を削除せず、続編を公開したのは立派です。

で、冒頭の2曲ですよ。1つ目は夫婦かどうかは不明ですが、浮気がバレた男が同居する女に「オレみたいなモテ男にホレるお前が悪い」と女のせいにして、「もう3年も一緒にいるんだから浮気くらいは大目に見てくれないかな、てへっ！」と正当化するというもの。

2つ目は、妻子ある男にホレた女がその男と会えるのはホテルだけで、男へ手紙を書いても電話をかけても叱られる、というところから始まる。そして、自分の電話番号は手帳に男の名前で書かれてカムフラージュされていたことや、休日に家をコッソリ見に行ったことを独白し、その男の肌に爪を立てたい、と願望を歌う。

いずれも「女を性のはけ口としてしか見ていない身勝手な男」「耐え忍ぶ女」という内容です。これらの曲がヒットしていた時、私は小学生だったので意味がよく分からなかったのですが、今はよく分かる。まぁ、今の時代、こんな歌詞はアウトでしょう。

驚いたのが、『ホテル』の作詞者が、戦争反対と護憲を訴えるリベラル派のなかにし礼氏だったことです。「男のスケベな妄想を描きたかった」のかもしれませんが、その歌詞は「男の不倫がバレないよう、不倫相手の女は黙ってな」と強制しているとも言えるわけです。

ならば『ホテル』を2020年風に変えた場合、どうなるか。家族ある年上女にホレた独身の若い男が、募る恋心と相手の夫への憎しみを切々と訴えればいいのでは？　一瞬こう考えましたがこれはダメでしょう。

なにしろ、「不倫」がそもそもダメなので、もはや不倫の歌は作れない。『ホテル』をテーマにするんだったらこんな歌詞になる。

「今日も恵比寿のシティホテルのラウンジでキミとパンケーキ♪　スイーツ仲間に性別なんて関係ない♪　一流ホテルのパンケーキ、どうして誰をも幸せにするの〜♪　ほっぺにクリームつけた僕に『がっつかないの！』とキミはお説教♪　やっぱホテルはスイーツ好きの聖地なのさ♪」

1980年代の時代背景では2つの曲は普通に認められていたのかもしれませんが、今や昭和の歌謡曲は炎上の「火薬庫」です。紅白歌合戦に演歌歌手の出場組数が減っているのと関係あるのかなぁ？

紅白を〝卒業〟した細川たかしにしても『北酒場』では勝手に男が女を値踏みし、北の酒場では女が男になびくぜベイベー！　と、これまたマッチョですもんね。（20/12/17）

◇歌詞ではありませんが、２０２１年東京五輪では、開会式の音楽を手掛けることになっていた小山田圭吾氏が、過去のインタビューでの発言をもとに降板させられることになりました。今後はドラゴンアッシュのように「悪そうなこと」をやってきた自慢のような歌詞も槍玉にあげられるのでしょうか。盗んだバイクで走り出した尾崎豊もダメですね。

〈3〉 卑怯なバッシング

「日本人らしさ」で批判する人々

大坂なおみ選手が2年ぶり2度目の全米オープン優勝を果たしました（2020年9月）。おめでとうございます！ 世界ランク1位返り咲きの芽も出てきましたし、東京五輪での金メダルも期待されます。

しかし大坂さんが、警官や市民により殺された黒人の名前の書かれた黒いマスクを7種用意して、決勝までの7試合、登場時につけていたことに対して、日本ではこんな批判が寄せられました。

「スポーツに政治を持ち込むな！」

たしかに、ロンドン五輪の際「独島はわが領土」と竹島の領有権を主張したプラカードを掲げた男子サッカー韓国代表選手が、IOCから注意を受け、彼にメダルを授与するかモメた騒動もありました。

これは明らかに日韓の政治問題のため、IOCも問題視したわけですが、「亡くなった黒人を追悼する」行為って政治的なんですかねぇ？　あくまでも大坂さんの悲しみと怒りの表明であり、多くの人に考えてもらいたい、という意思表示ではないですか。シドニー五輪柔道金メダリストの井上康生さんが、表彰台で母の遺影を掲げた時には「親孝行」と称賛されたのと何が違うんだ。そして、もう一つ奇妙な指摘がありました。

「アスリートなんだからスポーツに専念しろ！」

あのさ、全米オープン優勝という、アスリートとして最高のパフォーマンスを発揮したんだから、スポーツに十分専念しているじゃないですか。それともあなた、仕事中に余計なネットサーフィンしたり、便所でウンコするふりしてスマホゲームしたりしていませんか？　サラリーマンなのだから仕事に専念しろ！　そう返しておきます。

大坂さんに対する批判って本当にバカみたいなものが多い。「やっぱり黒人だ」とか、「テニスのラケットを投げるのは日本人らしくない」とか。結局大坂さんが黒人と日本人の間に生まれたことをもってして、異端扱いしているだけ。

ラケットを投げることについてですが、錦織圭だって伊達公子だってやっています。野球選手なんて、怒りのあまりグラブをマウンドに叩きつけたり、ホークス時代の杉内俊哉なんて、2回7失点を喫し、ベンチに帽子とグラブを叩きつけ、挙句の果てにはベンチを殴って両手の小指を骨折して全治3ヶ月、2004年シーズンを棒に振りました。西武の森友哉だって2022年シーズン途中、交代させられたことにキレてマスクを投げ、指を骨折しています。

大坂さんを批判する場合に、「日本人らしくない」とやるのは卑怯だと思うんですよ。これって完全に「日本人とはかくあるべし」という同調圧力と「空気を読めよ」ということを彼女に強いているわけでしょう？　錦織や杉内や森に対して「日本人らしくない」なんて形式の批判はほぼないわけで、それは彼女の見た目を理由に差別していることに他ならない。

そして、メディアも大坂さんをバカにしていた過去があります。日本語があまり上手でなく、タメ語風に喋ることについて「なおみ節」と呼んだり、好きな食べ物を聞いて「カツ丼」と言わせたり、行きたい場所を聞いて「原宿」と言わせる。

日本国籍だけど日本のことを分かっていない黒人女性に、日本の良いところを言わせ

るテレビ番組の「日本すごい」的な演出、バカバカしいからやめようぜ。(20/10/1)

◇大坂さんはその後、2021年東京五輪開会式で聖火の最終ランナーをつとめました。世界トップレベルのアスリートが日本国籍を選んで、日本の代表をつとめてくれたことを素直に喜べばいいのではないでしょうか。

メディアの煽りが民主主義を毀損する

小林よしのり氏の『コロナ論』(扶桑社)が大ヒットしています。私も同氏と「週刊ポスト」でコロナについて対談、「コロナは大したことがない」「『羽鳥慎一モーニングショー』をはじめとしたテレビ番組が過度に恐怖を煽った」という点で意見の一致を見ました。

小林氏は、インフルエンザの罹患者と死者の方が新型コロナより圧倒的に多いことを理由に、「経済を回せ」「自粛不要」と訴え続けました。実際ご本人を目の前にして私も共感するところが多かった。

後からどう言われてもかまいませんが、本稿を書いている2020年9月、「日本におけるコロナ騒動、とんでもないバカ騒ぎだったんじゃね？」と感じております。海外は別として、日本では、陽性反応が出た人数が人口の0・06％程度のウイルスに全国民が怯え、「ただの風邪」論者は人でなし扱いされて糾弾されたのですから。

それでも日本人は36℃の猛暑の中、律儀にマスクをして、「密」でもなんでもない外を歩いている。私は幹線道路沿いに事務所を構えているため、いつも利用する歩道はとても広いんですよ。そこを歩く際、向こうから来たマスクを外している人も、私と近づけばマスクをつける。私も「誰もいないからいいよね」と思っているものの、その方と近づいたらマスクをつける。

もう、バカバカしくありませんか？　あれだけ開放的な場所で、別に我々2人は「憲法改正反対！」「憲法を改正すべきだ！」なんて路上で口角泡飛ばして激論を交わすわけじゃないんですよ。お互いに黙ってすれ違うだけです。それなのに、善良かつ世間様の同調圧力に従う我々は「マスクうぜー」と思いつつも、向かいから人がやってきたらマスクをそっとつける。

今回のコロナ禍って、民主主義と自由を、危機を煽るメディアが毀損しましたよね。よく分からない、たいして危険ではないものにより、膨大な数の人々が瀬戸際に追い込まれた。長生きしたい高齢者は自粛しても、「若者はほとんど死んでいない」のだから、もうガンガン自由に動いてもいいじゃないですか。

テレビが煽ったこの騒動により、飲食店においては従業員は全員マスク着用、客席にはアクリル板を設置、入口には必ずアルコール消毒液を置いて席数も減らし、営業時間も東京では22時までに短縮。おいおい、22時までならコロナウイルスはおとなしいのかよ！　県境をまたぐ移動も制限されましたが、そうすれば「コロナは東京から山梨には来ません（キリッ）」なんてこたーねぇだろうよ。

基本的に「専門家」なる人々は、最悪の事態を言っておけばいいんですよ。これはゼロリスク信仰ともいえるものですが、「今のニューヨークは2週間後の東京」とかは、警告を発しておけばいいと考える無難なバカによる発言。そうならなかったら「私が警告したお蔭で皆さんが努力したからですね（ニッコリ）」とでもしておけばいい。

そしてよく分からんのが、飲食店の客は全員マスクなんてしていないのに外に出るとマスクをする点です。結局「他の人がしている・していない」だけが判断基準なら、バ

カじゃねぇの日本人、と思うわけです。(20/9/24)

◇外を歩けば車に撥ねられるリスクはゼロではありません。車を運転すれば人を撥ねるリスクが生まれます。家に閉じこもっていれば鬱や認知症のリスクが高まります。仕事をすればパワハラで訴えられるリスクが生じます。クビになるリスクもあります。働かなければ飢え死のリスクが高まります。生きている限り死ぬリスクがあります。死ねば一番安定します。

コロナは人間を野良犬化させた

コロナがもたらした影響について一つ総括すると、「人間の野良犬化」です。

私が幼稚園～小学校低学年だった1970年代後半～1980年代前半でも、まだ野良犬がそこらへんをウロウロしていました。決してド田舎というわけではない、神奈川県川崎市宮前区、東京都立川市の2つのエリアです。

なぜか、学校帰りの通学路に野良犬がいる。けっこうデカい犬がこちらをにらみながら「ガルルル～」なんて威嚇している。7歳児が大型犬の牙に勝てるわけもないし、襲われないまでも何度も吠えられると怖いので、そーっと後ろに下がりながら、別の道から家に帰るわけです。

当時、私たちは学校でも家庭でも「野良犬に噛まれたら狂犬病にかかる」とか、「野良犬に襲われるとヘタしたら死ぬ」などと警告を受けてきました。だから野良犬は恐怖の対象で、何があろうとも接点を持たず避けるべき存在でした。

感染症学が専門だという白鷗大学の岡田晴恵教授は『羽鳥慎一モーニングショー』(テレビ朝日系)に4月22日に出演した際、こう発言しました。

「これは厄介なウイルスなんですね。〝人を見たらコロナと思え〟みたいになっちゃうわけですから」

いや、それまでの2ヶ月以上、あなたがそこを煽ったんでしょ? 別の局の番組にも出まくって、上半期の女性のテレビ出演回数No.1になったのはあなたですよね。お蔭で日本、「人を見たら野良犬と思え」状態になっています。あぁ、ありがとうございます。

なんてね。広告業界にいたネットニュース編集者としては、結局PV(アクセス数)

を稼ぐのはテレビの報道についてである、ということは分かっているから、「くだらねーな」と思いつつも、この15年ほど常にテレビを注視してきました。何しろ、テレビで放送された話題はすぐネットに書き込まれるのが自明なわけで、地上波テレビこそ、いまだに日本最強メディアなのです。

そして、今回のコロナ禍ほどテレビの影響力が甚大だったことはありません。何しろ、日々の生活で人間を「野良犬」扱いする事態が相次いだのですから。具体例を挙げましょう。

・電車の座席は1つずつ空けるようになった
・座席の前に人は極力立たないようになり、ドア付近が密になる
・歩道ですれ違う際、互いに端っこに寄り、ソーシャルディスタンス（笑）を取る
・喘息や花粉症かもしれないのに電車で咳込む人がいたら、隣の車両に移る。単なる「くしゃみ」でも同様
・スーパーで、より大きいキャベツを選ぼうとして、一旦触ったものとは別のキャベツを選んだら舌打ちされた

他にも色々ありますが、これって「咳する人差別」「より大きい野菜を欲しい人差別」ですよ。

こうした異常な状態をもたらした原因は、結局は民放テレビに支配されている世論ってヤツです。それを煽動するのは民放テレビです。そして、それにもっとも貢献したのは視聴率№1の『モーニングショー』。正直、岡田晴恵、羽鳥慎一、玉川徹の「煽りトリオ」にはいつか責任取ってもらいたいです。(20/10/8)

◇コロナが収束すると共に、『モーニングショー』のコロナ報道も減りました。ある時は韓国、ある時はアメリカ、またある時はヨーロッパを見習え、日本政府は何をしている！ と大騒ぎしたコロナ落とし前は一切つけていないようです。ロシアによるウクライナ侵攻が始まったらすっかりコロナ報道は減りました。その後、熱心になったのは山口県阿武町の「４６３０万円誤送金事件」についてです。

スポーツ新聞が「炎上」の主犯

いわゆる「炎上」ってメディアが誘発するものです。本当は炎上していないのに、メディアが「炎上認定」するから「炎上したこと」になる。おい、代表はデイリースポーツ電子版、お前だ。スポーツ新聞の矜持も定見もなく、ひたすらテレビとラジオとネットを見て他人のアラ探しをしながら、自分は安全な立場からコタツ記事（取材をせず、コタツの中でも書けるような記事のこと）書いてるよな、お前らは。

今や日本では、一部の極端な人の暴論により、色々なことが潰される事態になっています。これでいいの？ 前述した「正麺」についても、あくまでも「漫画の表現の範疇」でしかない。それでも気に食わない人がネットでイキっただけ。

2020年4月、デイリースポーツの電子版が『「サザエさん」実社会がコロナ禍の中でGWのレジャーは不謹慎との声も』という記事を出しました。この記事が悪質なのは冒頭のこの文に現れています。

「国民的アニメとして人気のフジテレビ系『サザエさん』（日曜、後６・30）が、26日の放送後、Ｙａｈｏｏ！のトレンドランクで上位を占めている」

あのね、テレビに出たらトレンドの上位に来るの。それくらいバカライターでも知ってるでしょ？　１つの言葉で「占める」はありえないし。で、こう続く。

「ツイッターでは『ＧＷに出掛ける話なんてサザエさん不謹慎過ぎ！』『他に差し替える話は無かったのか？』『サザエさん一家が呑気に家族総出で外出しとるん観るとなんか腹立つわ』などと、本気とも冗談ともつかないながらも批判のコメントが多数飛び出した」

これについては、ネットの「ｎｏｔｅ」でｔｏｒｉ氏が「４月26日のサザエさんが不謹慎だと言った人は11人しかいなかった話」として検証しています。

ｔｏｒｉ氏の分析では、サザエさん一家が４月26日の回でＧＷの旅行を計画している話を放送したところ「不謹慎だ！」との声が出たが、実際に「不謹慎」的なものは11件しかない。むしろ、「不謹慎との声も」という記事により、「炎上したこと」になった、としています。

少数派の意見をデイリースポーツのバカライターがアクセス稼ぎのためにセンセーシ

ヨナルに「炎上」報道をしたわけです。

競争が激化しているウェブメディアの運営が厳しいのは分かりますが、デイリースポーツをはじめとしたスポーツ新聞、コタツ記事ばかり量産するお前ら、存在価値もうねーよ。お前ら、廃業しろ、クソたれめ。(20/12/3)

◇スポーツ新聞のこの傾向は変わっていません。そのうちデイリースポーツ記事への批判コメントについて「炎上」だと東スポが書き、東スポへの批判コメントを「炎上」だとデイリーが書き……というループが発生していくのかもしれません。

カタカナ話法は差別の産物である

もうすぐ東日本大震災と東京電力福島第一原子力発電所の事故から10年ですね。そして、メディアやSNSでは「フクシマ」という言葉が今後多数出てくるのかと思うとむかつきます。

この「カタカナ話法」ってものは、「寄り添っていますよ」風のサヨクが使い、結果的に当事者を傷つけることもある実に無神経な話法です。

日本の都道府県でこのカタカナ読みをされるのがどこかといえば、原爆を落とされたヒロシマとナガサキ。米軍基地問題を抱えているオキナワ。そして原発事故があったフクシマです。「ノーモアヒロシマ・ノーモアナガサキ」という言葉があるのと同様に「ノーモアフクシマ」もあります。

「フクシマ」については、WEDGE Infinityというサイトで福島出身・在住のライター、林智裕氏が「今こそ、なぜ『フクシマ神話』が生まれてしまったのかの検証を――事実を超越した言論が生み出した『冤罪』」という記事において諦観にも近い形で気持ちを表明しています。

〈現実は被災地を助けるどころか社会不安をますます煽り、攻撃し、被害に追い打ちをかけてくる人も少なくありませんでした。その象徴の1つが、特に原発事故後初期に多用された、カタカナ表記の「フクシマ」でした〉

私は少なくとも、広島・長崎・沖縄・福島について言及する場合、モノカキとしてカタカナで表記する気にはなれません。ここで使った「モノカキ」という表現は、多分

「自虐」が含まれていると思うんですよ。恐らく「作家」や「ジャーナリスト」とは、恥ずかしくて、おこがましくて自称できない人間が「売文屋」や「モノカキ」と名乗ったのでは、と考えています。漢字で「物書き」と書いてもいいのですが、これは分かりづらい言葉です。職業には見えない。

何らかの差別意識や同情心、そして諸外国へのアピールから「カタカナ表現」は生まれるものです。だから、「国際都市トーキョー」「港町ヨコハマ」は成立する。これは差別的な文脈とは異なります。

あとは、「海外メディアが日本人をこう報じた」という時もカタカナは使われます。たとえば、サッカーの英プレミアリーグ・サウサンプトン所属の南野拓実選手がゴールを決めた時は、「サッカーダイジェスト」というサイトはこう報じました。これは、「海外メディアも」南野を絶賛しているという文脈です。

〈この先制ゴールを地元紙『Daily Echo』も絶賛。「タクミ・ミナミノの魔法の瞬間が、セインツの悲惨なプレミアリーグ連敗を終わらせ、チェルシーを引き分けに追い込んだ」と大々的に報じている〉

別にコレ、「南野拓実の魔法の瞬間が……」でいいんじゃねぇの？　と思うんですよ。

いや、「タクミ・ミナミノ」とするのならば「タクミ・ミナミノのマジコォー（マジカル）モーメントが」ぐらい書けばいいのに、なぜか、名前のみカタカナになる。

メディアはこの「カタカナ使い」の基準、一度整理してガイドラインを作ってもいいのではないでしょうかね。正直「カタカナで地名を表記した場合は『差別的ニュアンスがある』」ぐらい書いてもいいと私は思います。そうでなければ福島他への差別は終わりません！（21/3/11）

◇原発事故から10年経った２０２１年、国連科学委員会は福島第一原発事故についての報告書をまとめました。そこには子供も含めた住民の健康への影響について「被曝を原因とする悪影響が増加する可能性は低い」と明記されています。「低いだけでゼロではない！」という人はいるのでしょうが。

コロナ予想と野球解説の奇妙な類似

いやぁ〜、2021年5月現在「緊急事態」だの「まん防」だのすっかりコロナへの警告慣れしてしまった私ですが、皆様いかがお過ごしでしょうか！　そんな中、「これだ！」と膝を打つツイートを見ました。「故郷求めて」というユーザー名の方による、尾身茂・分科会会長や小池百合子都知事の「ここでしっかりしないと大変なことになる」という発言は、野球中継で「今日は負けるわけにはいかない試合ですね」と実況担当が言うようなもの、との指摘です。

もう1年3ヶ月もずーっと「今が正念場」「勝負の2週間」「真剣勝負の3週間」「瀬戸際」などという言葉を聞いてきた我々は、1年3ヶ月間「常にヤバい状態」だとエラい方々から言われてきました。で、私の知り合いの陽性者は1人で、死者ゼロです。多分、知り合いは相当多い部類に入る人間だと思うのですが、コレです。

でも、「そこまでビビらないでいいんじゃね？」なんてツイッターで言うと、テレビが流す「コロナヤバいです！」を信じ切った方々から猛烈に批判される。ただね、テレビに出る専門家（笑）や知事はギャラ獲得や支持率上昇に繋がるので警告を発しておけばいいんですよ。私のように「ビビり過ぎ」と発言する人間の方がよっぽどリスクを負ってるんです。

彼らは何とも羨ましい立場ですが、「故郷求めて」氏が述べるように、プロ野球中継の実況と解説者の発言って改めてキチンと検証してみるとおかしなもの、多いですよね。はい、解説者も「専門家」です。

「今日は負けるわけにはいかない」って、普通、どんな試合だって負けるわけにはいかない。いくらぶっちぎりの最下位を走るチームであろうとも、すべての試合が大事です。選手にしても、1本でもホームランを上乗せしたり、1勝でも多く挙げなくては年俸は上がらないので必死だし、どの試合も大事なのは当たり前ではないですか。つまり、専門家がまったく意味のないことを言っているわけです。その他の「分析にも何もなっていないプロ野球中継用語」を挙げます。


「ここで1点取っておきたいですね」

「この回は大事ですよ。ここをどう踏ん張るかですね」

「ここは阪神も中日もお互い、大事なイニングですね」

「ここで追加点を取れるかどうかがこの試合の趨勢を決めますね」

こういった言葉、常に真剣勝負をしている選手達に対して失礼ではないでしょうか。選手も監督・コーチもどんな状況であろうが勝つために最善の策を打っているわけです。それなのに外野が「今が特に重要です！」と言い、あたかもこれまでは手を抜いていたかのような分析をする。

実況担当のアナウンサーはさておき、プロ野球で華々しい結果を残した解説者もこんなコメントをするってどうなんですか？　なんで、あなたのような実績を持つ御方が、野球に詳しいものの実際は素人の述べる「野球理論（笑）」に同調するような発言をするのですか！

これが今のコロナを巡る騒動で発生していることです。素人のテレビ番組MCとコメンテーターがテキトーなことばかり言いまくる中、「専門家」の皆様が世論におもねって「ヤバいです！」と言い続けているだけ。

あの～、同じこと言い続けて飽きませんか？（21/5/6・13）

◇2021年12月時点で小池東京都知事はこう会見で語っています。

「変異株による感染がまだ広がりを見せていない今こそ、緊張感を持った対応が極めて重要ということでございます。これまで以上に都民の皆さん、事業者の皆様、感染しない、させない、そのための行動をよろしくお願いを申し上げます」

100対0で勝っている試合でも「油断するな」という監督みたいなものでしょうか。

コロナ専門家が野球解説者以下な理由

コロナ報道において、メディアの〝逆スポーツ新聞化〟が止まりません。とにかくネガティブなことを言い続け、恐怖を煽ることしか考えていない。〝逆スポーツ新聞化〟の意味は、スポーツ新聞は特定の野球球団に対し、希望を見出せることを報じ続けるからです。

たとえばシーズンを最下位で終えた場合は、「後半若手の成長が著しく来年に期待。収穫の多いシーズンだった」となり、その後はこう続く。「ドラフト、〇〇（球団名）は文句なしに大成功」「新助っ人・××はメジャー△△発（本塁打数）。これで4番は決まりや！」「オープン戦は絶好調、このままの勢いで突っ走る」「開幕ダッシュ成功、ヤバい、これは優勝してまう！」「5月に失速、ただし、○○は夏に例年強い」。そして最下位になったら再び「来年に期待」になり、以下、延々ループするわけです。

この手のポジティブ報道ばかりだと、一体何が本当なのか分からない。しかし、特定球団のファンがその新聞を買う場合が多いため、希望を煽らなくてはならぬ事情は分かります。具体的なスポーツ紙の見出しを見てみます。

〈逆方向も軽々‼メジャー通算92発‼左の大砲　阪神新助っ人合意　ボーア　バースの再来や〉（デイリースポーツ　2019年11月28日）

〈止まらない衝撃！阪神・ロサリオ、2戦連発シーズン95本塁打ペース〉（サンスポ電子版　2018年2月13日）

結局ボーアは1年で阪神を去り、ロサリオはわずか75試合・8本塁打に終わり自由契約に。両紙の見出し、実際にプレーする前はとんでもない期待を抱かせてくれますが、多くの場合は期待外れに終わる。

そして今年のコロナ報道の見出しを見てみましょう。

〈感染症専門家　東京のコロナ新規感染者は7日連続前週下回っても「まだ1カ月厳しい」〉（デイリースポーツ電子版　8月30日）

〈コロナ感染者減少傾向も専門家は警鐘「人流減っておらず実態反映していない可能性」〉（FNNプライムオンライン　9月7日）
〈関口宏　感染者「東京都は減っているがいいんですか」識者「不自然な減り方」サンモニ〉（デイリースポーツ電子版　9月12日）
〈専門家「冬より前に第6波の可能性」感染減で緊急事態宣言解除なら〉（FNNプライムオンライン　9月14日）

これは、いずれも2021年テレビ出演本数上半期2位の専門家（156番組・2020年は年間232番組で専門家中4位）である松本哲哉・国際医療福祉大学教授による発言がベースとなっています。常にコロナのヤバさと「人流」を減らすことの重要さを説く人物ですが、自分の過去の発言通りになっていない状況に焦っているのでしょう。人流が減っていないのに陽性者が減ったことには「不自然」と言い放つ。

これで「専門家」ですか？　スポーツ紙の煽り記事を書くのはあくまでも記者ですし、実害はない。野球評論家（野球の専門家）は、「夏になれば投手に疲労が見えてきて打撃力の強いチームが勝つ」や「○○選手の負傷離脱で得点力減を懸念」などと良いことも悪いことも言う。人々の行動を制限させ、実害をもたらすコロナの専門家とは違うの

です！　まあ、テキトーな専門家も多いですが……。(21/9/30)

◇ちなみに２０２１年のプロ野球の順位予想、報知新聞とデイリースポーツを見てみると、ヤクルトとオリックスの優勝を的中させた人は存在しないどころか、ほとんどの人が両球団をＢクラスとしておりました。

東スポはＰＶで攻撃対象を決めている

大坂なおみ選手へのネットの誹謗中傷が凄まじく、東京五輪の日本代表になることも考慮し、２０１９年にアメリカではなく日本国籍を選んだのに気の毒で仕方がありません。大坂選手は試合中に苛立つとラケットを投げ、また、「選手の心の健康状態を無視している」と全仏オープンでの会見を拒否して罰金を食らいました。ラケットについては提供するスポンサーが、会見拒否については世界的テニスプレイヤーが苦言を呈しました。

スポンサーや選手の苦言は当事者として非常に示唆に富んだもので、大坂選手も耳を傾ける必要はあるでしょう。ただ、日本のネットの意見がもう見るに堪えないんですよ。大坂選手は、ＢＬＭ運動の最中に行われた全米オープンで、警官に射殺された黒人の死者の名前のついたマスクを着けてコート入りしたことで、「アスリートは政治をスポーツに持ち込むな！」と批判された過去があります。また、女性アスリートでは世界一の年収60億円です。

テレビは、過去にサーシャ・バインコーチを解任した後、試合中に激高する様を「メンタルが弱い」などと分析し、それにネットも「日本人らしくない！」などと同調。そうした経緯を経て今回の全仏オープンの会見拒否・追放か？　に対する反応です。

「このクロンボ永久追放されればいいのに」

「いなくなってせいせいするのは四大大会運営側だよな。黒人女という無敵のカードを持ってるからって政治色持ち込み過ぎ」

「日本国籍を剝奪してくれればみんなせいせいする」

「やっぱり日本人じゃないいな」

私は以前にも本誌で、大坂選手の〝政治的発言〟への批判に対し「人権問題への発言」だと述べるとともに、「スポーツに専念しろ」という意見には「全米オープン優勝は十分専念している証拠だ」と反論しました。

彼女のことは好きでも嫌いでもないですが、日本に巣食う黒人差別にはうんざりしています。大坂選手の一連の言動を、「だから黒人は……」とネットの人々は上記のように批判する。

東京の銭湯での話です。常連の60代男性とはサウナで話す関係だったのですが、黒人男性が入ってきた瞬間ギョッとして、彼が水風呂に行くまで黙っている。そして、私に聞いてきました。

「あのさ、あいつがオレらのサウナに来るのどう思う？　オレ、あいつが入った後の水風呂とか入りたくないいんだよな」

これには「別になんとも思いません」と言い、この常連と会いたくなくなったので、もうこの銭湯に通うのはやめました。

そして、東スポについて言いたい。東スポＷｅｂは『【全仏ＯＰ】誰も意見できず…

「会見拒否」大坂なおみの加速する〝モンスター化〟』という記事を掲載しました。昨今の東京五輪開催反対論調もそうですが、東スポＷｅｂはとにかくＰＶ（アクセス数）が稼げる論調を見出したら、そちらに突き進む傾向がある。大坂選手を叩けばアクセスが稼げると踏んだのでしょう。ネットニュースの編集を長年やってきた私には、それがよく分かります。昔みたいに「カッパ発見」とかやってればいいのに……。そうも言ってられない経営状況なのでしょうね。（21/6/17）

◇東スポなどコタツ記事配信元がこのところお気に入りなのが、ひろゆき氏です。彼がニュースに反応してツイートすると、即座に紹介記事を出します。あとは橋下徹氏なども同様の扱いです。記事の冒頭に、対象のニュースを短く紹介し、続いて彼らのツイートを並べて、「～などとつづった」という程度で締めるのが定番です。

2022

6月の新刊

新潮新書

毎月20日頃発売

新潮社
〒162-8711 東京都新宿区矢来町71 TEL.03-3266-5111　https://www.shinchosha.co.jp

〈4〉 逆バリに勝機あり

唐津市に移住した理由

佐賀県唐津市に、2020年11月1日から移住することになりました。元々私は「2020年8月31日をもってセミリタイアし、アメリカで大統領選をリポートする」といった目標を立てていたのですが、コロナでそれも叶わず……。チンケなウイルスで人生設計を狂わされたのはむかつきますが、まぁ、アメリカの惨状を考えると仕方がない。

ただ、人生ってものは成り行き次第、その時々の判断で好転もすれば悪化もする。佐賀に行くことでまた良き出会いがあればいいな、と思っています。書いておきたいのは「逆バリ人生」についてです。

敢えてメジャーではない道を進むと案外目立つことができ、ライバルが少ない状況を作れます。私は大企業を4年で辞めましたが、当時は「もったいない！」と言われまくったものです。しかし、今や大企業では45歳でも早期退職の対象になってしまっている。47歳の今考えると、私は27歳のあの時にさっさと会社を辞めて良かったと思う。

その後、雑誌のフリーランス編集者になり、5年後の2006年、ネットニュースの編集を開始します。当時はネットは「格落ち」扱いで、編集者のなり手があまりなかったのです。しかし私は、今後ネットは隆盛の時代を迎えるだろう、と見込んでいたため、このオファーを受けました。紙メディアの編集者からは「お前、ネットの仕事してるのかよ（笑）」とバカにされましたが、「うるせー、今に見ておれ」のコンチクショー精神でやっていたら、あれよあれよという間にネットが強力なメディアになってしまった。

あの時逆バリをしたから賭けに勝てたな、と思っています。そして、多分ネットメディアもこれからは競争が激しくなるから、あとは若者に任せた！　と2020年に一抜けでセミリタイアし、地方生活を開始することに。

これも「70歳定年法」が施行される昨今の風潮に逆バリしています。ここから狙うポジションは「セミリタイア界の若手」「東京脱出男」という、またもやニッチな分野です。果たしてこんなものにニーズがあるのかどうかは分かりませんが、取りあえずこの分野でハッスルしてみます。

それにしても、年間364日働く生活から解放されたのは嬉しくて仕方がありません。先日、佐賀生活の予行演習とばかりに、江戸川放水路でハゼ釣りをしてきました。朝からボートに乗り、ビールを飲みながら仲の良い友人と釣り糸を垂らす。ブルルッという独特のあたりが来て竿を上げれば、あのかわいいハゼがくっついている。その後は友人宅で一緒に天ぷらを作ったのでした。あぁ、人間的ってこういうことなんだなぁ、とつくづく思った。

そして、やっぱりコロナでこの社会はおかしくなった。4月までは私も「これはヤバいウイルスでは……」とビビっていましたが、5月に入ると「これ、たいしたことないんじゃね?」という方向に舵を切り、以後は恐怖を煽るテレビ報道を批判し続けた。この時も逆バリをしたわけですが、多分私の読みが当たるでしょう。厚労省はさっさと「マスクは不要」と宣言してくれよ～。自主性のない日本人はお上が何か言わないと動けないんだからさぁ。(20/11/5)

◇ご存じの通り、テレビも厚労省も「コロナ怖い」から抜け出すことはないままです。その結果、失業者や企業の倒産が増え、2021年は戦後最多の死者数でした。コロナだけでなく、心疾患や自殺などによる死亡も前年より急増。コロナ騒動の余波で例年を大きく上回る「超過死亡」が生じています。日本は以前にも増して超高齢化社会となったのです。

山田詠美さんの鋭すぎる指摘

作家の山田詠美さんが「女性セブン」の連載コラムで「なんで『移住』って言うの？『引っ越し』じゃないの？」と意見しました。これを読んだ時、私も「アイヤー！」とドギマギしました。というのも、山田さんから「ねぇねぇ中川君さぁ、アンタ、単に引っ越しただけなのに『移住』だなんて、気取ってない？」と言われたような気がしたからです。

山田さんのこの指摘は実に鋭い。このコラムを読んで以降、私は「移住」と言うのはやめ、「引っ越し」と言うようになりました。「移住」と言うと、なんかカッコいい感じがあるんですよ。今までの都会の生活に終止符を打ち、素敵な田舎ライフで第二の人生を謳歌するのです、私は！　都会にしがみついているあなたとは違うんです！　といった意味合いが「移住」にはあるのですね。だからこそ『人生の楽園』（テレビ朝日系）のような、移住者がいかにステキライフを送っているか、を伝える番組が高視聴率を得ているわけです。

そういった意味で「移住」という言葉自体が非常にキラキラしたイメージがあるのですが、「移住」と「引っ越し」は一体何が違うのか？　これはかなり重要な問題提起です。

私は東京にいた時は立川→恵比寿→駒場東大前→池ノ上→代々木八幡といった形で次々と「引っ越し」をしました。この時は一切「移住」なんて言葉は使っておりません。立川と恵比寿なんて遠いですが、東京都内ということで「移住」ではなかった。なんで都内だと「移住」じゃないんですかね？　でも、檜原村や青ヶ島に移り住んだら「移住」になるんですよね。やっぱり分からん！

そう考えると、今回の東京→唐津にしても距離こそありますが「引っ越し」ですし、「夜逃げ」にも近い形で東京を離れただけです。それを「移住」というキレイな言葉で括ったのですが、ここの欺瞞性を山田さんは見事に突いてきたのですね。

日本語というものは様々な言い換えがあります。単なる売買春を「援助交際」だの「パパ活」と言う。そう考えると「移住」にしても「都落ち」ではあまりにも可哀想だから採用された言葉なのでは……なんてことも思います。

シンガポールやマレーシアに引っ越したら「移住」という言われ方をするでしょう。それなのに東京の人間関係がウザくて大阪の中心部に移っても「移住」とは言われないような気がする。一体「移住」ってなんなのか！

山田さんの問題提起は、佐賀県唐津市に移った私がこれから解き明かしていきたいと考えております。ただ、全然縁もゆかりもない唐津に住み始めてから人生、かなり面白くなっているような気はします。本誌・週刊新潮編集者のF氏もわざわざ唐津まで来てくれましたし、多くの東京人が佐賀まで来てくれます。

いや、やっぱ山田さんの「移住と引っ越し、何が違うの？」という指摘は鋭すぎる。そう考えると数年前、「忖度」という言葉がヒットしましたがこれも「ペコペコ」「服従するバカ」でしかない。なぜ、日本語はここまで誰かのために配慮をする表現がまかり通るのですかね？　「バカ！」「地獄に落ちろ！」と英語風に直接言っていいと思います。

（21/5/20）

◇リクルートの調べでは、コロナの影響で東京から地方への移住に興味を持つ人が増えているとのことです。もっとも、興味があるという人のうち「都心まで1時間から2時間程度以内」をイメージしているのが43・4%、「1時間程度以内」が31・8%とのこと。これこそ「引っ越し」と言わないと単なる神奈川、埼玉、千葉、茨城、群馬、栃木差別と言われても仕方がないのでは。

やったことない職業には敬意を持つべし

ライターってバカにされますね〜。3週間前の私の当連載が『「外でもマスク」「ナゾの22時閉店」なぜ日本人はこんなにバカなのか…』のタイトルでネットに配信されたところ、某ツイッターユーザーが「こんな文章で原稿料が貰えるんなら俺でもライターに成れそう」と書いたのです。

大学生のようですが、よくもしゃーしゃーと言ってくれたな。自分がやったことがない職業に対しては敬意を持て、と教わったことがないのか。

私がカチンときたのは「こんな文章で原稿料が貰える」部分ではない。そんなことは日々、ヤフーニュースのコメント欄にいくらでも書かれてますし、それは「批評」であり、文句はありません。問題は「俺でもライターに成れそう」の部分です。これって全ライターを侮辱する軽口なんですよ。

若きライター達は、署名原稿を書ける日を夢見て、日々編集者の下働きをします。たかだか400文字の商品紹介記事でも雑誌に載ったら嬉しい。そして、ついにある会社の部長のインタビューが「取材・文／中川淳一郎」と初めて載った28歳の夏。でも、それでスポットライトを浴びることはなく、「お前が取ってきたこのコメント、つまらないから別の人に代えておいて」なんて相変わらず言われる。あんたがこの人に取材するよう命令したんだろ！　と反論できるわけもなく、その識者に謝罪し、急遽新たな人をブッキングしたりする。

こんなことを日々やってきて嗚呼、苦節19年、ついにオレも週刊東洋経済から「アーリーリタイアについて2500文字で書いてください！」とオファーが来たよ、おっかつぁん！　と感涙にむせんでいたら「俺でもライターに成れそう」と来た。

この手のディス（悪口）をする人って、〝文字は小学生の時から書いているし、毎日メールやLINEで文章を書いているから、ライターなんて誰にでもできる〃と考えているのでしょうね。そしてこんなラクな行為で中川の如き凡人が自分の名を前面に出してカネ稼いでけしからん！　と思っているのでしょう。

一方、彼らは漫画家、俳優、モデル、アスリート、ベンチャー社長、ミュージシャンに対しては一定の敬意を持って「俺でも成れる」なんて言わない。これらは天賦の才と努力と勝負するガッツが必要だから、自分がそんな存在になれないことは知っている。

そして小説の場合、芥川賞や直木賞受賞作に対しても、「この程度の小説、俺でも書ける」なんて言いがちです。京都アニメーションに放火した青葉真司容疑者は、京アニ大賞に投稿した小説が同社作の複数のアニメ作品にパクられたと主張しました。「文字」「文章」は身近な分、才能がない者でも有名になれる可能性があると思われているのです。

冒頭のツイートで微妙に〝哀愁でいと〟なのが、「俺でも」です。つまり、ライターとは普通の人にはなれない職業だと「上」扱いしている意識も若干感じられる。いえ、ライターなんて全然そんな仕事じゃありません。名刺に「ライター」と書けば誰でもなれる。某さんも才能がおありのようですから、是非ともライターになってくださいませ。

(20/10/15)

◇この人物はその後もツイッターを続けていますが、フォロワー数は200人以下なので、まだ多くの読者を得るには至っていない模様です。

「細かいこと」こそ財産になる

佐賀県唐津市に引っ越して、暇になるかと思ったら大間違いでした。「セミリタイア」「地方引っ越し」という二つの要素を自分自身に加えたところ、この二つに関連した仕事がけっこうたくさん舞い込むようになったのです！

編集者としての仕事はほぼ全部なくしたものの、ライターとしての仕事や広報のコンサルっぽい仕事が増えています。元々は「ネットニュース編集者」や「広告・広報のことが分かる編集者」というポジションでしたが、これに加えて「セミリタイア界の若手」「地方住みますライター」という二つの新ポジションを獲得しました。4月からは佐賀新聞での連載も開始します。

そんな中、先日唐津でお会いしたのが、ポニーキャニオンのエリアアライアンス部の村多正俊さんです。地方創生を手掛けており、佐賀県のＰＲアニメを作るなど、同社のコンテンツ制作力を活かした仕事をされています。

競合は電通、博報堂、ＡＤＫといった大手広告会社に加え、凸版印刷など。「何がポニーキャニオン、そして村多さんの強みなんですか？」と聞いたら「エンタメ関連のコンテンツは全部ウチで制作する能力を持っています。競合他社は外注するので、仲介手数料を抜くため、制作費が減ります。ウチは制作にお金をつぎ込めるのでクオリティが高いです」とスパッと回答いただきました。

言うなれば村多さんは「エンタメの力で地方創生をする達人」という分かりやすい能力を持っているということでしょう。となれば、たとえば自治体の広報課長が「アニメとコラボしてドカーンと何かしたいね」「音楽イベントを何かやりたいね」などと考えた場合、村多さんのことが頭に浮かぶわけです。当然入札にはなりますが。

ライターにしても「何でも書けます」「取材が好きです」ではダメで、得意分野を持った人の方が強い。

「とにかくうどんに詳しいです」（井上こんさん）
「『大人の常識』に詳しいです」（石原壮一郎さん）
「ドラマに詳しいです」（吉田潮さん）

のように。だからといって、「忍者に詳しいです」なんて言っても、次の大河ドラマの主人公が服部半蔵にでもならない限り、仕事をガッポガッポ獲得するのは苦しい。どこにエアポケットを見つけるか、という嗅覚が大事になります。

とはいっても、ネットの場合、とんでもなくニッチな分野のやたらと詳しい情報を載せておくとアクセス数稼ぎができて、アフィリエイト収入を得られるかもしれません。

私のブログは日々の雑記中心ですが、圧倒的にアクセス数が多いのがニンテンドー3DSのソフト「三國志」の攻略法です。2013年発売のこの古いゲーム、まだやっている人が今でも常時1000人程はいるのでは。1週間に500ほどのアクセスがあるんですよ。そして、皮膚の下にできるおできのような「粉瘤」の手術の体験記も、その手順やかかった費用、取り出した粉瘤の写真を掲載したら週300ほどアクセスされる。

大した数ではないですが、見知らぬ誰かがこんなマイナーなネタを欲しているのだ、と考えるとやる気も出るものです。(21/4/8)

◇ライター志望の人の中には「何でもやります」「どんなテーマでも書きます」という人が一定の割合でいます。仕事を受ける姿勢としてはいいのですが、その場合はさらなる特徴、やたらと上手いとか筆が速いとかがないと厳しいかと思われます。

まだ残っている電話の可能性について

最近気になって仕方がない男性が一人います。某通販会社の営業マン・A氏、この人が面白くて仕方がないんですよ。2020年6月に新聞広告を見て同社が発売する鰻の蒲焼を買ったのですが、先日営業電話を掛けてきました。

「中川さん！　去年、鰻を買《こ》うてくださってありがとうございました！　でね、また鰻、入ったんよ！　しかも、10%引き。今だけ！　安いよ！　また買いませんか?」

コテコテの関西弁でこうまくしたてるのですが、私のような佐賀県唐津市在住者からすれば、A氏が売る鰻よりも恐らく質が高いであろう鰻を安く買える状況にあります。だから「私、今はね、九州にいるのでおいしい鰻が安く買えるんですよ」と言ったらA氏は引き下がらない。

「ならね、ビーフはどう？　あのね、シャトーブリアンというね、牛一頭からほんの僅かしか取れない高級部位を売ってるの！　1・6キロセットを今なら1万1000円！　どう？」

私自身、シャトーブリアンの稀少性は知っているので、確かにその価格なら安いな、と思い、買うことにしました。しかし、こんななれなれしい営業電話なんてA氏以外に経験したことはありません。恐らく同氏は50代後半ではないでしょうか。

一体どのようなキャリアを経て今の通販営業の仕事に就いたのかは分かりませんが、同氏のまくしたてるような喋り方に私はすっかり魅了されてしまったのです。

A氏との電話を終えたところ、妻が「誰？」と聞きました。「シャトーブリアンを売る営業のオッサン」と答えたら「えぇ？　友達かと思った！」と言います。そうです、このオッサン、完全に私と友達のように電話で喋るのです。

以後、このオッサンから電話が来るのが少し楽しみになってしまった私がおります。ちょうどこのシャトーブリアンが届いた数日後、2枚を焼き、0・5枚分は翌日の午後の酒のつまみとして冷蔵庫に入れておきました。

その0・5枚をフライパンで温めていたところへ、再びA氏からの電話が。

「中川さん！　元気⁉　この前のシャトーブリアンおいしかった？」

「はい、おいしかったです。そして今、丁度焼いているところです。桃屋のきざみにんにくと一緒に焼いて醤油かけたら絶品ですね！　今からビールと一緒に食べます！」

「それは良かったです。ワシ、なんつー良いタイミングで電話したの！　中川さんが喜んでくれて嬉しいです！」

そして畳みかけるように「あのね、鰻がね、いいの入ってるの！」と。私は苦笑しながら「Aさん、鰻はいらんってこの前言ったでしょ？　そしてステーキがたくさんあるからまだ大丈夫よ（笑）」と答える。するとA氏は「あぁぁぁ！　それは失礼しました！　また電話します！」と言う。

昨今「電話はウザい」「電話は他人様の時間を奪う暴力的ツール」「電話をかけるヤツは無能」など散々な評判の電話。そんな風潮があります。しかも、A氏の場合は営業電話というもっともウザいはずの電話です。それなのになぜか同氏からの電話を楽しみにしてしまう状況にある。同氏の電話技術、すさまじく卓越しています。（21/7/15）

◇固定電話の加入者減を受けてＮＴＴ東日本とＮＴＴ西日本は、２０２３年2月までに「ハローページ」の発行を終えることを決めました。令和生まれの人たちには「電話帳のように分厚い」という比喩は通じなくなることでしょう。

「謎の品」を売る合理的理由

なんでこの店でこんなもんを売ってるのだ？　と思う経験をしました。近所の婦人服店では、なぜかミカンを売っているんですよ。一瞬びっくりしたものの、知り合いや親戚がミカン農家なのでしょう。

しかし、謎だったのが、ホットドッグ等を出すカウンターのカフェで婦人服を売っていたことです。この店を訪れた知人によると、メインは服で「洋服を買いに来た人が一息つくんだって」とのことです。確かに洋服を買った後、馴染みの店員と談笑しながらコーヒーを飲んでホットドッグを食べるのは楽しいですね。

こうした「謎の品物を売る」件で私が過去にもっとも目から鱗だったのは「精肉店でポテトサラダを売っている」件です。以前、雑誌でポテトサラダ特集を組んだのですが、ポテトサラダが評判の精肉店の店主を取材しました。実際に食べ、そして撮影後に店主に「なんでお肉屋さんでポテトサラダ売ってるんですか？　肉と関係ないじゃないですか？」と聞いたのですが、こんな会話になりました。

「(勝ち誇った顔で）キミィ、肉屋のメイン商品は何だい？」

「お肉です。牛・豚・鶏です」

「商売を拡大するにあたり、そして食品ロスを防ぐために我々が何をやってるか分かる？」

「お総菜とか、お弁当とか、あとはカレールーや焼肉のタレの販売ですよね」

「そう、総菜。豚肉はトンカツにして、牛ミンチはメンチカツに、鶏肉は唐揚げにする。そしてさ、どうせ揚げるんだから、とアジフライやイカフライも売るようになった。肉屋の総菜の定番ってコロッケだよね。コロッケって何で作るか分かる？」

「ジャガイモとひき肉ですね」

「そこ！　コロッケを作る時はジャガイモを大量に茹でてマッシュにするんだけど、これが大変なんだよ。せっかくだったらこのイモを有効活用しようと思って閃いたのがポテサラなんだ。せいぜいキュウリとニンジンを追加するだけだし、ハムはもうあるからね。串カツ用のタマネギもあるしさ」

これには「なるほど！」と言ってしまいましたが、世の中の不思議な事象には合理的な理由があることが多いです。

そこで「緊急事態宣言」と「アルコール販売禁止」ですよ。居酒屋や焼き鳥屋は、儲けの多いアルコール類をバンバン飲んでもらうため、酒に合うつまみを提供しているわけです。うめぇ、ぷはーっ！　焼き鳥うめぇ！　ビールもう一杯！　ってな話になるわけですね。

しかし、緊急事態宣言下では酒が出ない。一応店はやっているものの、焼き鳥食べながら氷が完全に溶けたウーロン茶をジルジルと少しずつ飲み、では気勢が上がらない。店の売り上げも激減。

なんなんですかね、コレ。冒頭で挙げた洋品店がミカンを売らなくなったとしてもメイン商品は洋服なわけで打撃はない。ただ、居酒屋で酒を出せないというのは、精肉店に対して「生ものは危険なので、生肉は売ってはいけません」なんて保健所から命令して単なる揚げ物屋にするようなもの。

そういえばレバ刺し、なくなってから9年経ちますね……。なんでお上ってこんなに規制したがるのか。私は他人に規制を加える仕事なんてしたくありません。(21/10/7)

◇緊急事態宣言によってお店で飲めなくなったため、増えたのが自宅で飲む「宅飲み」と路上飲みでした。もちろんウイルスは場所を気にしないので、部屋に集まって飲めば感染リスクは高まり、ちゃんとした店のほうがマシなのですが、そういう声は少数派のままでした。

移住成功は「先方の役に立つ」かどうか

東京から佐賀県唐津市に引っ越してほぼ1年が経過しました。いわゆる「移住生活」ですが、この言葉は先述の通り山田詠美さんが「なんかカッコつけてる感じ。ただの引っ越しじゃん（意訳）」と言ったのに納得したので以来封印しました。ここでは移住をウマくやる方法について書いてみます。

私はかなりラッキーな部類に入ると思うのですが、まず、東京である程度の貯蓄ができたので「あとはラクに生きよう……」と47歳にして決断しました。「もう、都会に未練がない」という状態をいかに作れるかが大事なのです。

別に都会が悪いわけではないのですが、私としては①人が多い場所はイヤだ。満員電車はイヤだ　②釣りがしたい　③クワガタを獲りたい　④黄ニラを売りたい　⑤東京で十分いい思いをしたから後は都会とは別の世界を見たい——。こうした感覚を２０１３年、40歳の時に持ち始めました。

この五つを実現できる場所として唐津を選んだのですが、なんと、全部達成してしまいました……。で、④黄ニラ、についてはまったく理解不能だと思うので補足します。私は全野菜中もっともおいしいのは黄ニラだと思っています。日の光を浴びさせないで育てるニラのことで、これがすこぶる美味。タイ料理や中国料理の定番ですが、日本では滅多に見られません。岡山県が日本一の産地ではあるものの、スーパーで稀に見かけてもとにかく高い。

なぜ日本でこの流通量が少ないのかと嘆いていたところ、佐賀の農家の方が「やってみましょうか！」と開発に着手。先日、黄ニラがすくすくと育っている写真を送ってくれました。開発に成功した場合はＰＲと営業をバンバンしようと思います。そして、試作品を持ってきてくれたのですが、これが素晴らしい味でした‼ 豚肉・モヤシ・厚揚げと一緒に炒め、ナンプラーで味つけしたら最高です‼

そして移住をウマくやる方法ですが、基本的には「移住先に役立つ人」であった方がいい。私の場合は、色々と情報発信の術を持っているので唐津・佐賀の良い点を発信できる立場にあります。

これが案外と重宝されています。先日、駄菓子屋さんの取材をし、記事を書きまして、その後店主に挨拶したら「すごい反響でしたよ。わざわざ仕入れに来てくれる人もいましたよ！」と言われました。

これは、私の「執筆・編集・ＰＲ」という専門分野が役に立った例で、やはり完全に新しい土地で受け入れられ、歓迎されるには、都会で培った能力をいかに地元に還元するかが大事だと1年間で思いました。

それから、とにかく新生活を楽しんでいる様子を日々地元の人に伝えるべきです。ツイッターやフェイスブックやインスタグラムはバンバン活用し、地元の素晴らしい風景等を投稿しまくりましょう。地名をつけて投稿すれば密かに地元の人が見てくれているはずです。

基本は「私は新参者です。皆さん、どうぞよろしくお願いします。この街は素晴らしいですね！」を日々ネット及び現実社会でアピールすることが大事です。そうすると少しずつ色々な人が「会いましょう」と言ってくれ、新生活が楽しくなります。(21/11/4)

◇山田詠美さんのすごさの一つは、言葉への違和感をバシッと言い切ること。もう一つ、もっともな指摘をしていて膝を打ちました。「『コロナ下』っていうけど『コロナ禍下』じゃない？」(女性セブン) 確かにそうですよね。

いつまで「新しいこと」を叩くのか

コロナで激増したUber Eatsの配達員が最近、被害を受けているという報道がありました。バスが幅寄せをしてきたり、歩行者から肘打ちをされたり、と色々あるようで、今では専用ボックスのUber Eatsのロゴを隠す配達員もいるそうです。まぁ、隠してもあのボックスは見ればすぐに分かりますが。

確かに、配達員の中には無謀な運転をして自動車やトラック、バスの運転手をヒヤヒヤさせる輩もいることでしょう。しかし、Uberの配達員というだけで理不尽な目に遭わされるのはいけないことです。ここでは、Uber Eatsに反感を抱く人の気持ちについて思いを馳せてみます。

無謀運転に遭遇した人については「まぁ、あなたの怒りたい気持ちは理解できる」と言っておきます。その他の人については、次の理由があるのでは。

①「自由な働き方をしている」と報道されているので羨ましい
②「ギグワーカー」として副業でカネを稼いでいるのが羨ましい
③勝手に低学歴なバカだと捉え、そんな人が「月収40万円」といった記事を見てむかついた
④なんだか「新しい生き方」の最先端を驀進している感じがしてモヤモヤする

⑤質が低い（キチンとしたトレーニングを受けていない）のに、にわかにプロとして仕事をしている

私のようなネットニュース編集者も、2000年代中盤はUberの配達員と同じような扱いを受けていたことを思い出します。当時は「フリーランスでインターネットの編集仕事をしている」というだけで、紙メディアの方々だけでなく、一般の方々からも①〜⑤のような扱いを受けました。

だから今回、Uberの配達員に対しては「お気の毒に！」と思う部分もあります。本稿では、「なぜか嫌われる人々」について言及していきます。今、佐賀県唐津市に住んでいる私ですが、なんだかんだいって地方都市では、初めて行った飲み屋の常連客などから嫌われていると感じることも（もちろん、楽しく住んでいますよ〜♪）。

都会モノが「お高くとまりやがって」と嫌われることは分かりますが、その他のネットの反応やこれまでに聞いた嫌われる人々のタイプを挙げてみましょう。

「ピアスをつけている男」

「IT社長」
「ハロウィンで仮装する若者」
「成人式で派手な格好をする若者」
「マスコミ・広告の人」

すべて「あなたに何か害悪をもたらしたの？」というものなんですよね……。別に猛烈なワキガや口臭を撒き散らかして改善要求も聞き入れない、というようなことではなく実害もないのに。もちろん、ハロウィンで仮装する若者が酔っぱらって暴走してハメを外すこともあるでしょうが、あくまでもごく一部。

今回のUber配達員批判騒動については、2004年に堀江貴文氏がプロ野球参入を表明したところ、巨人の親会社である読売新聞の親玉・渡邉恒雄氏から「知らない人が入って来てはいけない」みたいなことを言われていたのを思い出します。その後堀江氏は証券取引法違反容疑で逮捕され、収監されました。

でも、堀江氏が作ったライブドアの後身は今をときめくLINE社なワケで、ナベツネ氏の反発はおかしかったと思います。新しいことをすると叩く風潮、本当にイヤ。

(21/2/4)

◇2021年11月にはタレントの千原せいじが、Uberで注文したマグロ丼が、メニュー写真のものと違うことに立腹して「全然ちゃう感じのやつきた。Uberってこんなんなん?」とインスタに投稿するという事件がありました。しかし店に渡されたものを届けたに過ぎず、配達員には何の罪もありません。せいじはマグロ丼を捨てたそうですが、投稿する前に店に電話するのが大人のたしなみというものでしょう。

ラーメン業界のキチンとした価格戦略

ここ数年、日本の物価と賃金の安さからすっかり憂国の士になってしまった私ですが、昔と比べて物価はどうなっているのか気になります。毎日便所で愛読している3冊の古い料理写真集に登場する、今も続く有名店の当時の価格と現在の価格を比較します。いずれも「文春文庫ビジュアル版」で、( )内は当時の価格→現在の価格です。

【私の大好物】
吉野家の牛丼（1992年＝400円→388円）
丸政の元気甲斐（駅弁・1240円→1780円）
高木屋の草だんご（600円→700円）
ナイルレストランのムルギーランチ（1300円→1500円）

【ベストオブ蕎麦】
並木藪蕎麦のもりそば（1992年＝550円→700円）
美々卯本店のもみじ〈海老天そば〉（1100円→1485円）

【ベストオブラーメン】
ラーメン二郎本店のぶたダブル（1989年＝350円→800円）
ホープ軒本舗の中華そば（450円→700円）
桂花の桂花ラーメン（520円→780円）

これを見ると吉野家のみ下がっており、「多少上がってるかな……」が続き、ラーメンになると「けっこう上がってるな」となります。とはいっても、今やラーメンは750円するのは普通になっていますが、国民食であり続けています。

激戦業界であるとはいえ、ラーメン業界はキチンとした価格戦略を続けてきたと言えるのでは。過去が安過ぎたというのはありますが、ラーメン二郎の「ぶたダブル」は2倍以上。これでいいです。

それから、サラリーマンの平均年収は1989年が414万3300円で、1992年は471万7000円だったため、最初の2冊（92年）とラーメンの本（89年）では若干ベース価格に差があるのは当然。だからやたらとラーメンが安かったのでしょう。

こうした「安いニッポン」に生きていてこれから恐怖なのが、インバウンド消費が再開した時のこと。もしかしたら人気の店は完全に外国人価格になり、日本人は行けなくなる事態になるのでは、ということです。

さすがに吉野家やホープ軒本舗はないとは思いますが、すでに外国人に絶大なる知名度を持つ某ラーメン店が現在の900円台を「ロンドンだと2000円が当たり前」とばかりに一気に1500円にしてしまう。それでも2000円のラーメンが当たり前のイギリス人は安い安いと舌鼓を打つ。回転寿司もスシローやくら寿司よりもグレードの高い店は一皿500円が当たり前になったりする。

これには根拠があります。2000年代中盤までタイは「安い国」でした。基本私は屋台やぶっかけ飯屋などに行き、安いものを食べるのですが、「世界一美味」の称号を得たプー・パッ・ポン・カリー（カニのカレー）を出す高級店に行くことも躊躇《ためら》いませんでした。行けばお客の多数は外国人。

数年前に行ったらタイ人も増えており、日本との差が縮まったことを実感したものです。さて、インバウンド解禁で日本も果たしてそうなるか？　1990年代、中国では「外国人価格」が存在しましたが、今後日本でもそれを求める声が出るかもしれません。「オレ、昔の価格であのラーメン食べたいんだよぉ〜！」なんて嘆き節がネットで噴出したりしてね。（21/12/16）

◇吉野家は2021年10月、一斉値上げを発表しました。「並盛」は36円高い388円となり、消費税10％が適用される店内飲食時の価格は38円高い426円となります。同社は「急激な輸入牛肉の価格高騰や原油高の影響を受け、自社努力だけでは価格を維持することが困難な状況」と説明していますが、いいんですよ、それで。

デイドリームビリーバーたちに告ぐ

仰天のニュースが登場しました！　ITmedia ビジネス ONLINE の『大人１２３１人に聞く「なりたい職業」　YouTuber や医師を抑えた1位の職業は？』という記事です（２０２１年12月）。なんと、１位が「ライター（Web ライター）」（56人）で、２位「公務員」（52人）、３位「医師」（46人）と続きます。

なりたい理由は「自分の時間配分で仕事ができ、自由な時間を増やす事ができて心も豊かになると思います」「昔から文章を書く仕事に興味があった。（才能はさておき）歳を重ねても続けられるかな？　と思ったから」などがあり、調査したメディア「エラベル」は「会社という枠組みに縛られることなく、自分の好きなことを仕事にしたいと思っている人が少なくないのでは」と人気の理由を分析しています。

この記事を教えてくれたのは、もう20年間一緒に仕事をしている同年齢の男性ライターで、私も含めた3人の同業者にメールを送ってきました。

「いつの間にかライターの地位が向上している！　そして自分の職業を自慢できる時がくるとは！　それにしても、信じられない世の中になってしまいましたね。びっくり！」が同氏の感想。他の2人は「手応え……ないなぁ笑」「我々の努力は実りました！　当該の人間としては『全然手応えがないんですけど』という感じですが、ここは無邪気に喜んでおきましょう」とあります。

私もこの結果には仰天しましたが、外から見たらライターって自由で楽しい仕事に見えるようですね。というわけで、初心者ライターの実態をここで示し、デイドリームビリーバーたちの目をガツンと醒まします。

彼らが想像するライターって楽しそうに旅行したり、おいしいものを食べた様子を報告する人々だと思うのでしょうが、ぺーぺーの時なんてヒドいもの。とにかく編集者からの雑用を押し付けられるだけ。

「2021年に流行ったもの、これを5つのジャンルで10個ずつ紹介するので、識者15人に5ジャンル5つ以上紹介してもらっておいて。そのうえで、票数の多かった10商品のサービス提供会社に電話し、企画書渡して一言コメントと写真もらっといて」

コレ、気が遠くなりませんか？

断る人もいるため最低でも識者20人に電話しないと「15人」なんて確保できないし、35〜50社に電話することになるんですよ！

しかも識者は了承したというのに、締め切りまでにラインナップを教えてくれず、企業からは「担当者が不在」や「年末だから忙しい」と言われるほか、「ウチは広告間に合ってるんだよ！」となぜかキレられてガシャンと電話を切られてしまう。

編集者からは「意外性がないラインナップじゃん！　もう一度○○先生に商品聞き直せ！」と言われ、さらに商品の価格を間違えたり、「プ」と「ブ」を間違えたり、先方の広報担当者が「齊藤」ではなく「齋藤」だったりし、掲載後、謝罪行脚となる。

こういう仕事はしたくないから、とクラウドソーシングで「コタツ記事（取材ナシでコピペやテレビを見て書く記事）」に手を染めると1文字0・2円、3000字で驚愕の600円！

しかし、この悶絶の8年間ほどを乗り切ればそれなりに実力派になりラクになりますが、8年、長いんだな、コレが……。（21/12/30・22/1/6）

◇なぜ悶絶の8年間を乗り切れたかというと、やっぱりライターってボコボコと脱落していくものなんですよ。家業を継いだりサラリーマンになったりして。そうすると同程度の経験をしている中堅クラスの人数が減り、一定の信頼感がある人間に仕事が集まるようになります。「ここから売れる！」という潮目のようなものを感じたら一切断ることなく仕事量を猛烈に増やし、知り合いを増やす。そうすると突然波に乗れ、イケイケドンドンになり、さっさと隠居できるようになります。

理想の78歳男性に会ってしまった

先日唐津にある〈波戸《はど》岬 サザエのつぼ焼き売店〉へ行き、そこで理想の78歳男性に会いました。「理想の78歳」ってのはかなりヘンテコリンな言葉ではありますが、「あぁ、私の30年後の人生を生きている人が、こんなことをやっていて羨ましい……」と心から思ったのです。

この〈売店〉は海沿いにあり、店の中にはいくつものブースというか屋台的な炭火焼き用の場所があり、それぞれに女性が一人いて、サザエ・イカ・カキ（季節限定）・アワビ（あるかどうかは時の運）を焼いてくれ、酒も飲めるのです。どのブースの人も親切で「ジュースやったらあそこの自販機で買ってきてよかよ」なんて言う。そしてとにかく出てくる魚介類が絶品なんですよ。

そこへ長身の老紳士がやってきました。「ヨッ、社長さんですか？」と聞いたら、私の前でサザエを焼いていたおばちゃんは照れくさそうに「夫です」と言い、そこから夫さんは経歴を喋りました。

最初は農協に入り、その後、九州電力に転職、2年間の雇用延長を経て漁協関連の仕事をし、その後はウニを素潜りで取っているそうです。さらには農業もやっており、サザエ焼きおばちゃんである妻と一緒にニンニクを作って近くの「道の駅」に卸している。庭には橙《だいだい》が勝手に育っているとのことです。

おばちゃんも恐らく70代でしょうが、二人して商売を続け、体を動かし続けている。なんと素晴らしい人生でしょうか。

さて、日本はかつて強かった家電や金融の分野でも弱体化し、ＩＴはＧＡＦＡやアリババに席巻され、国際的な企業はない。そんな中、ウニとニンニクとサザエですよ！　これだったら需要は絶えないでしょうし、金持ちの台湾人・中国人に輸出することもできるでしょう。もはや日本の強みは第一次産業と飲食店しかないのかな、と最近感じる私としては、この夫妻こそが理想の生き方だと感じられたのです。

翻って私の同世代のサラリーマンを考えると、東芝、日立、シャープ、パナソニック、富士通などに入った人々は１９９０年代中盤～後半の就活では肩で風を切るような感じで「ドヤ！　ワシは一生安泰じゃ！　海外赴任もあるだろうし、そうしたら赴任手当が出て、家賃もタダだから帰ってきたら家が建てられるわ、ガハハハ！」みたいなことを言っていました。

しかし実際には、こうした大企業に行った知り合いはいずれもこう言っています。

「早期退職の案内が来た……。まだ子供が中学生だから辞められないけど、退職金で一気にローンを返す手もあるかと思ったり悩んでるんだよ。でも、オレが別の会社に入れるかも分からないし……」

こうした友人・先輩を見るにつけ「かつて輝いていたあなたはどこへ行った！　喝だ！」と『サンデーモーニング』から引退した張本勲氏のように発破をかけたくなるの

であります。

昭和の残滓があった我々世代のサラリーマンは、まだどこかで年功序列・終身雇用伝説にすがっていた面があります。だから「聞いてないよ〜」的状況になる同世代も多いのですが、先のご夫婦のように、自ら仕事を作り出せば78歳まで元気ハツラツ！　希望を失わないでくださいね。（22/2/3）

◇日本の強みは第一次産業と飲食店しかない、私は本気でこう考えています。日本津々浦々の特産品や特色の違いを、日本らしい「おもてなし」で売っていく。外国人旅行客万歳。もちろん唐津でも試みを始めようとしています。

唐津を去る人々

「見送る立場」ってヤツの辛さを感じる人生がこの1年半ほど続いています。東京から佐賀県唐津市に2020年11月に引っ越してから、生活が一変してしまったのです。もちろん、その時は私が見送られる立場だったので、それほど寂しく思うことはありませんでした。

不思議なもので、唐津ほど半端なく東京から遠い場所でかつ佐賀県という日本全国でも一線級のマイナー県だと「一体どんな場所に中川は引っ越したんだ？」という興味が湧き、これまでに累計で120名ほどが遊びに来てくれました。福岡での仕事ついでの人もいれば、唐津を見るためだけに来る人など様々です。

そうなると、彼らが1泊2日~5泊6日滞在した最終日、お別れの時が来る。これが実に寂寥感抜群なわけです。彼らがいる間は非常に楽しいのですが、それが終わり毎回高速バス乗り場やJRの駅の改札で手を振る時、そして「フーッ」とため息をつき、家に戻った時の部屋の寒さが心に沁みるのです。

東京時代はフリーランスの知り合いがほとんどで、異動がほぼないニュースサイトの仕事が多かったため、誰かを見送るということはありませんでした。

ところが唐津では、会社員との接点が増え、今年の3月は次々と異動し、唐津を離れる人が続出しました。一人は佐賀新聞唐津支社長のT氏で、もう一人はたまたま唐津で再会した会社員時代の同期であるS氏です。

さらには、地方にいると何かと公務員の知り合いが増えるわけで、彼らは3年に1回の異動があり、それまで一緒に仕事をしていたのに、「私、異動になりまして……」とこれまたお別れになる。もちろん、県内での異動のため、縁が切れるわけではありませんが、それまでとは違う仕事になると、慣れるまでは同様に遊んだり飲んだりできなくなります。

とはいっても、教師は毎年こういう経験をしているんだなァ……、とも思うのですよ。ようやく私も人生で初めてそのような経験をしたわけですが、各人が新たなステージに入るというのはめでたいこと。

そんな中、フリーランスとして生きていると、人生の指標をなかなか作れないんですよね。会社員や公務員だったら定年というゴールがありますが、私は組織人が異動をするのを目の当たりにし、「自分はどこへ行くのだろう」なんてことも思ってしまいました。

こうしてしんみりとしたことを考えていたのですが、T氏とS氏の合同送別会は楽しかった。

T氏はデジタル関連部署の部長になり、S氏は東京異動でビジネス開発をすることになります。「デジタルで何をすればいいのやら……」とT氏が言うと、S氏が「ニュースを地元の人が読みながら脇でおにぎりを握る動画を作ればいい。スポンサーはオレが集めますよ！」とアホな提案！ を出してきました。しかし、佐賀といえば海苔と米、確かにこの企画はアリだな！ と大いに盛り上がったのでした。

私だって27歳の時に会社を去る時は「寂しいじゃないかよー！」と先輩や後輩から言われた。「別れ」は、人生をさらに発展させる機会かもしれませんね。「週刊新潮」から別部署へ行く現担当編集・F氏へのエールを込めて。(22/4/7)

◇本書のベースになっている「この連載はミスリードです」は2014年1月にスタートしました。F氏を含めて歴代担当は6人。思えばもう8年、毎週この原稿を書いてきたわけか。これからも書きます。

〈5〉　ネットに狂うメディアと諸先輩方

ツイッター空間の「炎上誘発的存在」に

これまでの編集者・PRプランナーとしての人生は終了し、ライターに戻る。前述した私のセミリタイアの日である2020年8月31日は、1年1ヶ月に及んだ「ツイ禁（ツイッター禁止）」の最終日でもありました。

なぜツイッターをやめていたかといえば、数々の機密情報を扱う広告会社・博報堂とこの1年ほど業務委託契約をしていたから。そこから離れるので、ツイッターを復活することができました。

1年以上、自分はツイートしない状態だったのですが、いい歳した立場のある方々が政治的発言をして炎上し、「劣化した」なんてドン引きされている様子を遠巻きに見ていました。実は日本人って政治的イシュー、大好きだったんですよね。

毎度、左右両派がボコボコにやり合い、謝罪したりツイートを削除したりする様を見て、「オレ、ツイッターやってなくて良かった！」と思うことしきりでした。あくまでも「告知」だけを代理でし続けてくれた弊社・Y嬢に感謝します。

私は元々右派に対する違和感があり、彼らを叩きまくっていましたが、その後、左派の方が実は攻撃性が強いことを認識し、彼らを叩いていました。すると、途端に「レイシスト」「ネトウヨ」認定をいただくわけですよ。ここ数年は、左派が自分の考えに合致しない発言をする人間を糾弾する流れができています。

ちなみに、元来中道左派的な、むしろリベラルな糸井重里氏と佐々木俊尚氏も今や左派からすれば「ネトウヨ」認定です。

こんなツイッター空間、ただバカバカしいだけの空間なので、私は今後、政治的なツイートをする気は一切ありません。しても何の意味も、メリットもない。「トムとジェリーは一生仲よくケンカしな」としか思えなくなりました。

その中には、名前は挙げませんが、一時代を築いたアラ還のモノカキの方々もいますね。彼らの文章を素晴らしいと思って過ごした私の20代〜30代。あれから約20年、ツイッターは完全にこうした方々を「炎上誘発的存在」にしてしまったのでした。実に寂しい。

雑誌やラジオで語っている内容はまともなのに、ツイッターになると途端におかしくなってしまうアラ還の諸先輩方。現在47歳の私としては、あんな恥ずかしいオッサンになりたくないので、これからもツイッターではこうした自らの思想に基づいた偏った発言をしてはいけないな、と思いを新たにしました。

さて、9月1日からはツイッターを復活させましたが、基本的には呑気で楽しい情報ばかり発信していくつもりです。政治について物申すと、どちらにせよ両派から意見が殺到して、ただただウザいだけだし、ひたすら「ブロック」をし続けることになり、本来のツイッターの楽しみ方ができなくなるんですよね。

せっかくの、自由に発言できる素晴らしいツールであるツイッターを最大限活用するには、余計な政治的発言、やめた方が余生は楽しいですぜ。バカと無駄なやり取りしないで済むしね。(20/9/17)

◇地位も名誉もあるにもかかわらず、そして政治とはさほど関係ない仕事なのに政治的な発言などをきっかけに不毛なやり取りをしている方々は、第三者から「地位も名誉もあってさらに承認されたいのか」と思われるリスクも考えたほうがいいのではないでしょうか。なお、コロナのせいで政治的ツイートは復活させてしまいました。

不満分子の声はいつも大きい

ツイッター等での自分への批判的な発言、基本はブロックすればいいですよ。「人類皆兄弟」なんて嘘ですし、「話せば分かる」も嘘だからです。話が合わない人と喋っても意味がない。皆、いい大人なんだから意見なんて変えるわけがない。

グラフィックデザイナー・つだしんご氏が「SNSを使う全人類が知っておくべき事実」と題して、1枚の図を紹介するツイートに、約29万の「いいね」がつくなど話題となりました。図を説明するとこんな感じです。

海に浮かぶ氷山が二つ。一つは巨大で、大部分が海の中に沈んでいる。もう一つは小さいけれど大半が海の上に出ている。これはSNS上での発言に対して、「賛成する人の絶対数は多いものの、いちいち共感のコメントはしない。反対するアンチな人の絶対数は少ないものの、積極的にコメントをしてくる様子を表しています。

まさにこの通りですよ。世の中の常として「アンチの声が大きい」はあります。そりゃあそうでしょう。皆さん、「むかつく」「腹立った」「迷惑を受けた」「謝罪しろ」「傷ついた」「損した」「問題発言だ」などは、言わなくては腹の虫が治まらない。

一方、満足した場合は自分や仲間内で「楽しかったね♪」と言い合えばいいわけです。アンチの方々は自身の怒りの感情をなんとか世間様に知ってもらいたいため、積極的にSNSに書き込みをします。

まさに「反アベ」の方々がネットで元気に暴れまわったこの約8年ですが、結局国政選挙では一度も野党が勝つことはありませんでしたね。それが象徴的です。

反政権のデモも安倍政権誕生以来多数行われ、そこに共産党、社民党、立憲民主党の重鎮が参加して、演説や行進などをしてきました。それを、朝日新聞を筆頭としたリベラル系メディアが「こんなに反アベの声が盛り上がっています！」と報じるものの、多くの国民は見ているだけ。この手のデモを真剣に取材するのは彼らばかり。

さて、アベが健康上の問題から辞任してスガ首相が誕生。「アベは独裁者」と言い続けてきた彼らの生きがいが失われることを心配していましたが、さっそく翌月には日本学術会議の任命拒否をめぐり、官邸前でスガ首相に抗議するデモが起こりました。アベに対して振り上げた拳のやり場をどうしようか考えていたところ、リベラル系メディアの批判的な報道により「スガはアベ以上の独裁者！」とのお墨付きが出たので活動開始！

でも、自称リベラルの皆様、そして彼らのご機嫌伺いばかりしている野党の皆様方はそろそろ別のやり口を開発してはいかが？　つだ氏の描いた図が真実なんですよ。

「満足している人は意見を言わない」を、私は19年前に経験しています。社員旅行で泊まった熱海の旅館。コインの表裏で「はい」「いいえ」を答える「10円玉ゲーム」を皆でやったのですが、負けた者にはそのたびに罰ゲームがあります。

とある回では「フロントに『いいホテルですね』と電話をする」という罰ゲームでしたが、負けて電話をかけたE先輩はただ一言。

「フロントの人、意味が分からず困惑していた」

そうです。人は満足していても意見は言わず、言われた側が戸惑うだけなのです。

（20/10/22）

◇2021年に行われた総選挙では、自民党大敗、少なくとも大幅減が予想されていましたが、フタを開けてみれば野党第一党の立憲民主党が一番の負け組になりました。これもつだ氏の説を補強する事実ではないでしょうか。

義憤ボランティアという種族がいる

「現代ビジネス」に掲載された『「上級国民」大批判のウラで、池袋暴走事故の「加害者家族」に起きていたこと』という記事（2020年10月9日）が大きな話題となりました。同事故の飯塚幸三被告（89）の家族に対し、「家族も同罪」「家族も死刑」といった声がネットに出ていることなどを紹介し、加害者家族叩きをしても解決にならない、と問題提起をしています。

著者で加害者家族の支援を行うNPO法人World Open Heart理事長の阿部恭子氏は、飯塚被告の家族と話をしていて、記事中のその提言には共感できます。

「上級国民」と呼ばれる飯塚被告については、「逮捕されなかった」「判断力が低下しているのに運転した」「メディアが忖度して『元院長』の肩書で報じた」「若い2人を殺したのは許せない」などと、ネットで近年稀に見る激しい叩かれ方をされています。

公判でも、飯塚被告はお詫びの言葉は口にしたものの、あくまでも車が悪い、という主張をしたため再びバッシングは過熱。

あのさ、あなたが乗っていたプリウスのメーカーであるトヨタから巨額の名誉毀損や損害賠償の裁判起こされたらどうするの？　とは思うものの、家族は関係ない。当然「家族が運転免許を返納させておけば良かったんだ！」という反論があるのは分かりますが、ここまで来ると加害者家族が一家心中でもしない限り、家族を叩きまくっている皆さんは許さないんでしょ？

２００８年の「秋葉原通り魔事件」の加害者・加藤智大の弟と、14年に長崎県佐世保市で発生した「高1同級生殺害事件」の加害者の父は自殺しています。「死んでお詫びを」という言葉がありますが、まさに世間様の怒りはそれを加害者家族に強いるわけです。

実際に死んでしまったら「おっ、おう……」と振り上げた拳を下ろさざるを得なくなる。ネットで激しく誹謗中傷をしていた者は、相手が死んでしまった後はうしろめたさを感じ、今度は「お前が殺した！」と非難されて身元を特定されないためにもサッとIDを削除。「そこまでのつもりはなかったんだよ！」と思うのがセットになっています。

ネットで加害者家族を猛烈に批判する人々による、「被害者宅まで訪れて『今の気持ちは』などとやるマスゴミも悪い」式の糾弾も定番。確かにそうですが、「そっちもやり過ぎだが皆さんもやり過ぎ」。なお、フレンチに遅れるから暴走した、という「上級」度合を上げる印象操作報道について、家族は冒頭の記事の中で否定しています。

日々、ネットで苛烈に誰かを叩いている人に対しては、「何のカネにもならないのによくやるよな」と思います。私自身、ネットに実名でガンガン発言しておりますし、こうして公の場でも発言します。これはカネになるからやっているんですよ。もしも一切カネにならないのであれば、一瞬スッキリするものの、後に身元が明かされて名誉毀損の裁判を起こされたり、自分の職場に電凸（電話突撃）が相次いだりして、解雇されてもおかしくない。

そう考えると、日々義憤の気持ちからネットに強い言葉で悪口を書くボランティアの皆様方の「蛮勇」に敬服します。（20/10/29）

◇飯塚被告は一審で禁固5年の実刑判決を受けました。公判では一貫して無罪を主張し、運転ミスは認めなかったのですが、これが厳しい判決になった一因なのかもしれません。なお、トヨタはプリウスに問題がないとの調査結果を発表。飯塚被告は控訴しなかったので刑が確定し、2021年10月、90歳で収監されることになりました。

アメリカ大統領選、自分ごとなの？

先日、新聞社から「米大統領選における日本のネットの空気感」について取材されたので、「自民党支持者と野党支持者の代理戦争の如き状況になっている」と答えました。私はネットウオッチが仕事であり趣味なのですが、大統領選をめぐっては、政治に関心の高いツイッターユーザーの皆さんが主張しまくっているのを、9月頃から見続けていました。

もともと自民党支持者は「我らが安倍首相と仲が良いトランプ大統領こそ再選すべ

し！」と主張していましたが、野党支持者は「トランプみたいな排外主義者で下卑た人間が当選してはいけない！」と訴えます。

いわゆる「政治垢《せいじあか》（政治に関心があるアカウント）」の皆さんは日本国内の支持政党を、そのまま米国の共和党・民主党支持に重ね合わせていたのですね。

日本人のトランプ支持者は、「バイデンが勝ったらアメリカは中国と同調し、赤化する」「バイデンの次男のセックススキャンダルは許せない！」としきりに喧伝しました。一方、バイデン支持者は、とにかくトランプは世界に混乱をもたらした暴君で、コロナ対策も最悪だったと言います。

あのさぁ、別にオレら日本人はアメリカの選挙権持っていないんだから、大統領選を自分ごと化する必要ねーだろうよ。それともお前らはカザフスタンの総選挙とかでもそこまで盛り上がるのかよ？　とも思いました。

確かにアメリカの選挙結果は日本にも大いに影響を与えるものの、今回は、ネットでの「熱」があまりにも高くて、違和感を覚えたんですよね。

「安倍ちゃんと仲が良いトランプさんに勝ってほしい！」「アベのような独裁者とベッタリだった暴君トランプは退陣すべきだ。頼むぞ、正義の使者・バイデンさん！」といった具合に、「政治垢」の皆さんは、日本の政情を米国に投影したのではないかと思うほどでした。

そんなこんなで、日本人は蚊帳の外であるにもかかわらず、米大統領選がネットでもメディアでも盛り上がったのでしょう。バイデン氏の勝ちらしいですが、まぁ、日本がそれほど大きな影響を受けることはないのではないでしょうか。別に民主党政権だろうが共和党政権だろうが、さほど違いはない。どちらにせよアメリカという国は「自国ファースト」です。民主党のクリントン氏・オバマ氏でも、共和党のブッシュ氏・トランプ氏でもさほど変わらなかったじゃないですか。だからいちいち日本人が代理戦争のごとく米大統領選に熱狂する意味が分かりません。

ところで私は現在、佐賀県唐津市に住んでいます。先日、ＢＢＱパーティーがあって、参加者のイギリス人男性に、「トランプとバイデン、どちらが勝つかによってアメリカ及び世界は変わりますか?」と聞いたところ、こう言われました。

「あのよぉ、バイデンって左翼と思われてるけど、正直、アメリカの左翼なんてヨーロッパの中道でしかない。オレらからするとなーんにも変わらないよ。別にトランプだって、『ちょっと右』程度。何をいちいち『バイデンになると左傾化する』とかやってる

の。オレらからすりゃ全然たいしたことない。放っておけばいい」とのことです。(20/11/26)

◇「バイデンが大統領になったら中国に甘くなる」と騒いでいるトランプ支持者が日本には多くいましたが、実際にはトランプよりも厳しくなりました。北京五輪の外交的ボイコットも断行。人権重視の姿勢という意味では「左傾化」と言えなくもないものの、それは結果としては今のところ日本には悪いことになっていないようです。

成人式の意義を軽く見てはいけない

「成人式論争」が毎年ネット上では発生します。基本的には「成人式は大事派」vs「成人式なんてどうでもいい派」で、「どうでもいい派」が毎度「大事派」を冷笑し、バカにするのが定番です。

福岡県北九州市や沖縄のド派手なヤンキー風成人男性とか、花魁風女性などが嘲笑の対象になるわけです。もう一つ対象として追加されるようになったのが、２０１８年の成人式直前、着物レンタル・着付け業者「はれのひ」がトンズラしてしまった件。新成人がテレビの取材に対し、「一生に一度のことなのに」「1年も前から準備していたのに」「写真を撮るのを楽しみにしていたのに」「50万円も使ったのに」と嘆く姿に対して「そんなどうでもいいことにカネを使う方がバカ」という被害者の傷に塩を塗るような発言が相次ぎました。

そして今年ですが、緊急事態宣言発令に伴う中止も相次ぎ、「はれのひ」の時と同様の展開になり、ツイッターには「まじで成人式中止になったの一生恨むからな」の声も。ここまで大事にしている様子から、ますます「どうでもいい派」は成人式を重視する人々を滑稽に感じ、意気軒昂だったように見えました。

私も大学1年生の時の自分の成人式は、地元・東京都立川市の式に参加していません。公立中学時代の友人に会いたい気持ちは少しはあったものの、高校はアメリカだったため以後付き合いもなくなり、正直、大学時代の友人の方が大事になっていた。だからこの日は登山部の仲間と一緒に丹沢の冬山登山に行ってしまいました。

成人式をあそこまで大切にする理由はあまりよく分からなかったのですが、今年、こんなツイートを見ました。原文そのままではありませんが、趣旨を紹介します。

「成人式は、中卒・高卒が大学生に対して『オレらはこんなに稼いでる』と見せる最後のチャンス。だからあそこまで本気で準備する」

どんな学歴でも立派に稼いでいる方はたくさんおられるとは思いますが、この意見は「どうでもいい派」に「そうした側面もあったか！」と新たな気付きを与えたようです。〝ヤンチャができる最後の日〟的な覚悟を決める儀式だから重要だという説は聞いたことがありましたが、ここに新説が追加されたのです。

成人式を重視するかどうかというのは、「地元」を基盤に生きていくか否かの違いも大きいでしょう。32歳の時、地元公立中学時代の友人と地元のスナックに集まったのですが、居心地は悪かったです。ほぼ全員が高卒で、何しろ生きている世界が違うし、皆結婚して小学生の子供がいる。最大の関心事は次に買う車と安全靴と息子のサッカー部について。そして皆迷うことなく、自分の選んだ人生に自信を持っているようにも感じました。

彼らは皆、成人式に行ったようです。以後の安定した人生を聞くと、大卒中心と思われる「どうでもいい派」の「転職しようかな」「留学しようかな」みたいに悩んでばかりの人生と比べて、正直彼らの方が幸せなのでは、とも感じてしまいました。

今、佐賀県唐津市に住んでいますが、年齢問わず地元の人々が道端や飲み屋で「ヨッ！」なんてやっています。これを見て、地元で生きることを決めた人にとって成人式は極めて重要かつ実利のある儀式だったのでは、とも思うわけです。(21/1/28)

◇ニュースなど情報発信が東京目線、大都市目線であることの弊害の代表例がコロナだったのかもしれません。感染者ゼロが続く県のさらに山奥でもマスクをしている人がいるのも「コロナが大変だ」の押しつけによるのでしょう。

今どき、子供の「名づけ」を間違うと

名前が同じ、ないしは似ているということで勝手に誤解され、ネットで叩かれる事例が最近相次ぎました。一つは、ホームレスと生活保護受給者の命に価値はない、的発言をＹｏｕＴｕｂｅでしたメンタリストＤａｉＧｏ氏です。

元テレビ朝日記者の介護福祉士で、2020年の松本市長選にも出馬した花村恵子氏が、同氏の発言をツイッターで批判し、「総理の孫がこれか」と書きました。「総理の孫」とは、竹下登元総理の孫のミュージシャン・DAIGOのことです。完全に勘違いしてしまったのです。

花村氏は選挙の際は社民党などが作った市民団体の支援を受けたものの落選。過去にも同氏は自民党批判が多かったことから、「自民党叩きに利用出来ると飛び付いたんだろ」といった指摘も書き込まれました。花村氏は謝罪しています。

もう一つは、東京五輪開閉会式のプロデューサーチームを統括した日置貴之氏を巡る騒動です。なんと「日置」という珍しい苗字でしかも「貴之」氏が他にも存在し、この人が貰い事故に遭った。

開会式も閉会式も酷評されましたが、開会式に先立つ日置氏の日刊スポーツのインタビューが凄まじい出来栄えだったのでした。「ダイバーシティー&インクルージョン(多様性と調和)」という基本コンセプトの解説を聞いた後の記者とのやり取りがすごい！

記者が「その『ダイバー……』」と質問を切り出すと「それを言えない段階でだめ。

僕が大事にすべきは、みんながそれを言える、理解する開閉会式にしなければいけない」と日置氏は答える。あたかも質問を遮るかのように話し、記者がバカにされているように見える。

この記事は、終始日置氏が不遜な態度だったように読める読後感の悪過ぎるもので、同氏をイヤなヤツに見せようとした日刊スポーツ記者の腕前が感嘆されたのでした。

ネットでは日置氏に対する批判や嫌悪の声が噴出。するとこんなツイートが登場しました。

「すでに昨日からいろんな人に言われるので、先にお断りしときますが、オリンピックの開会式を手がけるのは私ではなく、同姓同名の別の方です。もし何か起きても私は無関係なので凸らないで下さい」

「凸らないで」とは「突撃しないで」の意味ですが、なんと明治大学に日置貴之という准教授がいたのです。酒井美紀と坂井真紀と水野美紀と水野真紀を間違えることは時々ありますが、まさか同姓同名の日置貴之氏がいたとは仰天です。

これらを見て感じたのは、命名の重要性、です。名前はネット検索されるもののため、我が子を目立たせたくない人は「大輔」や「浩」「大翔」などよくある名前を付ければよい。

芸名は反対にあり得ない名前を付けるのがいいと思います。「メイプル超合金」なんて最高ですよ。一方「フルーツポンチ」をグーグル検索したら、「フルーツポンチのレシピ」が1ページ目は並び、ようやく2ページ目に吉本興業のプロフィールが出てきた。

最近の犯罪者では「渡邉摩萌峡《まほと》」という人物が登場し、犯罪内容以上に名前のインパクトでネットが盛り上がりました。微罪であっても名前が独特過ぎるとネットで永遠に騒がれるので、これから名付けをする親御さんは慎重に。（21/9/2）

◇新型コロナの変異株の名称では「アルファ」「ベータ」とギリシャ文字のアルファベットが順番に割り振られましたが、「クサイ」「ニュー」は飛ばされて「オミクロン株」が登場となりました。この時、「クサイ」は習近平の「習」の読みに通じるからWHOが配慮した、という説が唱えられました。真意は分かりませんが、「クサイは苗字にあるから」とWHOが答えているので、的外れな解説でもなさそうです。しかし、「オミクロン株」は採用されたわけで、政府分科会の尾身茂会長にWHOは忖度しなかったようです。

最強ワードは「小室圭さん」だった

先日ツイッターのトレンドワードに「開業医の不作為」が入りました。東洋経済オンラインに掲載された「新型コロナ医療崩壊の原因は開業医の不作為だ　国民に活動制限を強いるのはムダ弾で筋違い」という記事が話題になったためです。

こうした「どういうこっちゃ？」と思わせる言葉は案外トレンド入りします。タイトルは各ネットニュースの編集者が付けますが、私が付けたタイトルで昨年話題になったのが「苛烈怒号」でした。

この文字面だけを見ても一体何が何やら分からない。ただし何だかおどろおどろしい感じがするし、誰かが激怒している、ないしは「苛烈怒」号という船や宇宙船でも存在するのか、と思わせます。

これは、NEWSポストセブンの「新型コロナ、自殺した職員らに帰国者から寄せられた苛烈怒号」という記事のものです。最初にコロナが発見された中国・武漢から帰国した人々を厚労省関連の寄宿舎に泊めた時のこと。記事内には「帰国者のメンタルも限界に。怒号が飛び交い、恐怖さえ感じる現場だった」とあり、内容を読むと「こりゃ苛烈だ……」と思ったため私は「苛烈怒号」と打ちました。

するとこの言葉のインパクトにより、トレンド入りしたのです。今でも「苛烈怒号」をグーグル検索すると「読み方」とサジェストが出るほどです。

他にも見出しとして優れているのは「痛烈批判」「奇々怪々」「号泣議員」「激烈爆発」「悶絶国会」などになりますでしょうか。

また、別の私がタイトルをつけた記事で話題になったのが「よからぬあだ名」です。記事のタイトルは「悠仁さま、眞子さまを『よからぬあだ名』で呼ばれることも」で、文中の宮内庁関係者による「姉の眞子さまのことを〝よからぬあだ名〟で呼ばれることもあると聞きます」というコメントによるものです。

編集者は、記事を一読し、「これが一番ネットでウケるはずだ」という単語がピンと来きます。私は「よからぬあだ名」は記事内の紀子さまと悠仁さまの「母子密着」よりも強いかな、と判断しました。

皇室関連の記事って独特な言い回しがあるじゃないですか。本心はどうあれ、言葉を選んで「皆さん心配しています」風に着地させる、という……。回りくどい表現である「よからぬあだ名」はその典型例です。「ひどいあだ名」よりも圧倒的に強い。

同サイトは最近でも「思春期の悠仁さま、荒々しい言動が目立つことも　眞子さま結婚問題も影響か」という記事のように、「荒々しい言動」という目立つ言葉を入れ、多数のアクセスを稼ぎました。

「強い言葉」について述べてきましたが、複数の編集者から聞いた最強の言葉は「小室圭さん」らしいです。内容が何であれ、小室さんの話題であれば何でも食いつきが良いとのこと。他に強いのは「ひろゆき」「ホリエモン」などに加え、インパクトある事件に関すること。最近では、東京メトロで男性に硫酸をかけた男についての記事に登場した「硫酸事件」「沖縄で確保」などです。

日々悶絶苛烈な競争をするネットニュース編集の世界から降り、今は心穏やかに生きています。（21/9/16）

◇眞子さんが結婚なさった後、父・秋篠宮さまは会見で結婚までの一連の流れを振り返りました。そこで話題になったのが小室さんの名前を口にせず「夫の方」「娘の夫」と表現していらっしゃることでした。アメリカに旅立つ時の「ダースベイダー」ファッションといい、小室さん周辺には強い言葉が多いようです。新しいお住いの地名「ヘルズキッチン（地獄の台所）」も強烈ですね。

「BIGBOX」の本当の意味は

英国のハリー王子が引っ越し先で、米企業のＣＩＯ（Chief Impact Officer）の肩書を得たことが話題となりました。「最高インパクト責任者」とでも言える立場なのですが、なんと、この肩書の別称が〝Ｃｈｉｍｐｏ〟なのです！

これに日本人がバカウケしているわけですが、言葉というものは仕方がない。とある国ではごく普通の意味なのに、別の国では〝特別な〟意味を持つことがある。大学時代に友人が「イタリアで『サザエさん』をオンエアできない理由は、陰茎のことを『カッツオ』と呼ぶからである」とドヤ顔で言っていましたが、これと同じですね。まぁ、イタリアで放送するなら忠実に「カツオ」という呼び方をしないで「ジョバンニ」でも「アレッサンドロ」でもいいじゃないですか。

当時、私は商学部で様々な企業のケーススタディを読むことが多かったのですが、GEのジャック・ウェルチCEOによる「ナンバーワン・ナンバーツー戦略」（業界1位か2位の事業だけ残し他は再建するか売り払う）などを学びました。そんなある日、講師から配られたペーパーに学生は目を丸くしました。

1990年代中盤の「日経ビジネス」のコピーでしたが、「こんな会社で働きたい」的特集の中で「マンコ」という会社が紹介されていたのです！　ガムテープ等を作る会社ですが、上半身裸で大声をあげる会長と同じく上半身裸の男性従業員の写真が掲載されています。印象に残っているシーンはこんな感じ。

〈「Who is number one！」とカール会長が絶叫すると従業員は「Manco！」と応える。そしてカール会長の号令の元、上半身裸の従業員は池に飛び込むのだった〉

確かに「こんな会社で働きたい」ですよね？　書いている記者は「私は真面目な記事を書いているのだ（キリッ）」なんて言うでしょうが、あなた、選んでいる段階で内心「いいの見っけた！」なんて思ったでしょう。ドイツ・ヘンケル社に買収されて社名変更しましたが、「日本進出の妨げになるから改名したのでは」なんて当時我々は語り合ったものです。

スポーツ選手の名前でも盛り上がります。米のバスケリーグ・NBAにはグレッグ・オデンという選手がおり、「オデンが開幕戦デビュー、ブレイザーズの熱き胎動」なんて記事を見るとこれだけで大喜び。

MLBのマイナーリーグにも「ショーン・オチンコ」という選手がいましたが、ネットでは「オチンコ打った！ 伸びた！ 入った！」と書くのが定番に。同選手には充実したWikipediaの日本語の記事がありますが、英語版を探してみたところ見つかりませんでした。なんで日本での方が注目度が高いんだよ！

さらには、30年ほど前、雑誌で読んだのが、「ボブ・オーチンコという選手がいて、この選手をテレビ番組で紹介する際、女性アナウンサーが恥ずかしくて『オッチンコ』と言ったらもっと恥ずかしくなった」という記述です。

別パターンは、日本人が隠語をよく分からず英語を使ってしまうこと。以前、オーストラリア人女性と高田馬場を歩いていたらBIGBOXという商業ビルの看板を見て大笑い。「大きな膣って意味よ」とのこと。(21/4/29)

◇この手のもので過去に話題になり日本人がウヒヒと笑った外国の地名はスケベニンゲン（オランダ）があります。ちなみにオランダに赴任していた私の伯父によると「スケベニンゲン」は「スケヘニンゲン」の方が現地の音に近いとのことです。他にもトルコの「シリフケ」やチェコの「フルチーン」、バヌアツの「エロマンガ島」、中国の「チンポー湖」なども名高いです。

もう、見るのやめません？

結局テレビが社会の空気を作るんですね。この2年間、毎日毎日コロナのことばかりやって不安を煽りましたが、今はロシアとウクライナの話だらけ。コロナ怖いよぉ～！マスクしないヤツとワクチン打たないヤツはテロリスト！　とやっていたかと思えば、「ウクライナに寄り添え」「ゼレンスキーは英雄！」なんて状況になっている。

しかしながら、2年間にわたって恐怖を植え付けられた我が国ではマスクと消毒とアクリル板が必須の世界で、会食や旅行は反社会的行動扱いが続く。テレビ様が「この三つ、もう不要だよ。会食も旅行も行っていいよ」と号令をかけないものだから、コロナ恐怖症の蔓延と「カンセンタイサクノテッテイヲオネガイシマス！」は延々終わらない。
あーあ、いつまで我々はマスクを強要されるんですかね。で、あなたの周囲の高齢者以外、コロナで死にました？ 全然死んでないですよね？ もうどうでもいいわ。馬鹿日本国民は一生マスク着けとけ。

これまでテレビが作り出した空気ってどんなものがあったかな、と思ったのですが、一つは「煽り運転」。2017年、東名高速道路で煽り運転をしたあげく、その相手を停めさせ、後続のトラックにより夫妻を亡くならせた石橋和歩がもっとも有名でしょう。そして、2019年の常磐自動車道の「煽り運転殴打事件」の宮崎文夫と、「ガラケー女」こと喜本奈津子も話題となりましたが、今、「煽り運転」を問題視している人っていますかね？

全然いないと思います。私は日本の空気が「煽り運転はヤバい！ ドライブレコーダーが皆さんを守る！」というテレビの論調に従って、ドライブレコーダーを作るケンウッドの株を買い、大暴騰を狙っていたのですが、結局テレビ様がその後「熱中症がヤバい！」というテーマを徹底的に取り上げた結果、煽り運転は蚊帳の外になり、ケンウッド株は上がらず、未だに塩漬け状況になっています。

２０２２年４月前半、日本の「ヤバいもの」「きちんと注視しなければ」はコロナとウクライナです。あっ、あとはＢＩＧＢＯＳＳこと新庄剛志北海道日本ハムファイターズ監督ですね。この三つのテーマをテレビは徹底的に追いかけている状況ですが、もうさ、テレビ、見るのやめません？　完全にコレって洗脳装置ですよ。

別に、テレビが娯楽として優れていると感じるのであれば見ればいいのですが、結局テレビなんてものは、局と番組の制作会社と接点の深い芸能事務所所属のタレント（なんのタレント＝才能があるんだよｗ）の連中が、後輩の売れてないヤツとのバーター（ついでに出させてもらっている）で成り立たせているだけだろうよ。

こんなクソみたいなコンテンツが、総務省のお墨付きを与えられて、毎日流れ続けている。一応、ＮＨＫの受信料を払えば無料で見られるけど、民放はＣＭでまかなわれていて、その費用は商品の価格に跳ね返っている。

こんな馬鹿みたいなコンテンツに日本国民は散々カネを払い、さらには「コロナは怖いです！」「ワクチン打たないと死にます！」プロパガンダに乗っかった。馬鹿だね。

(22/4/14)

◇2022年5月末、テレビの関心は4630万円騒動と、知床の遊覧船事故にすっかり移りました。ウクライナについてはもう飽きてしまったのでしょう。あとは「マスクはどんな場面で不要か」への議論も流し始めましたが、国民は頑として外でも外さない。そんな中、タレント医師・二木芳人氏は出演した番組では外では外しているとバラしました。しかし前から人が来ると「二木先生がマスクをつけていなかった」と言われたくないため、つけるそうです。マスクをあそこまで推していた人間の言うセリフか！

金髪碧眼の美女ならば……

ロシアとウクライナの戦争について、私は専門家ではないのでその是非については述べませんが、どうにもこうにも不思議なことがあります。西側諸国によるウクライナに対する寄り添い方と、過去の中東への寄り添い方、正反対じゃないか？　と。

シリア難民は2020年段階で約660万とされていますが、難民を受け入れたのはUNHCRのデータによると、近隣のトルコ・レバノン・ヨルダン・イラク・エジプトで約549万人の83・26%。欧米は94万567人で14・26%。日本は、17年から19年に11人を難民認定し、人道的配慮を理由に日本への在留を認められた人は同時期で13人。

今回は、日本政府は4月2日に398人を受け入れ、その後政府専用機で20人を受け入れました。ウクライナ大使館への募金も大量に寄せられ、テレビにも支援者が登場します。全国各地の城やタワーはウクライナ国旗カラーにし、応援の意思を示しています。

ツイッターでは、自分の名前の脇にウクライナ国旗を付けるムーブメントが発生。これまでキミ達ウクライナのことなんて考えたことあったの？　と言いたくなったのですが、まぁ、「私達が今できることをやりましょう」みたいなことを考えたのでしょう。

というわけで、西側諸国からすれば、今回の件は実に衝撃的だったのですが、在仏中国大使館の4月2日のツイートが興味深かったです。アメリカはイラク、アフガニスタン、リビア、パナマ、ソマリア、スーダン、シリア、湾岸、ユーゴスラビア、イエメンの戦争で600万人を殺したが、罰を受けていない、と批判しています。

日本のメディアの報道スタイルも日本人のメンタリティとしても、西側諸国が戦争に巻き込まれると、「支援せねば！」となるのですが、どうも中東やアフリカ、ロヒンギャ難民やミャンマーの軍事クーデターといった非白人の話になると若干冷たいんじゃないの？　とも私は思います。「どっかの野蛮人が大暴れしているわ」的感覚ですが、日本人ジャーナリストが殺害されると途端に扱いが大きくなり、15年、ＩＳＩＳに殺害された後藤健二さんに対する哀悼の意を込め「I AM KENJI」のプラカードを駅前やネットで掲げる。

01年の米同時多発テロの時も、日本人は悲しみにくれ、イスラム過激派許すまじ！という雰囲気になりました。あの時は、中東系の人を国内で見るだけで何らかのテロ行為をやらかすのでは？　といった差別的空気感が漂い、モスクにも嫌がらせが相次ぎました。

今回もロシア料理店への嫌がらせや、ロシア料理をベースとした料理を紹介した日本人ＹｏｕＴｕｂｅｒへの批判もありました。ＪＲ恵比寿駅ではロシア語の乗り換え案内表示を紙などで覆いました。「このご時世にいかがなもんか」というのです。まさに坊主憎けりゃ状態に。

現在、ウクライナから脱出したのは女性・子供・60歳以上の高齢者ですが、日本の匿名掲示板では「金髪碧眼の美女が来るのならば歓迎だ」といった声も多数書き込まれました。中東系の男性が大挙してやってくるのはイヤだが、白人の若い女性には来て欲し

い、というそこはかとないスケベさを感じてしまうのです。（22/4/21）

◇2022年5月下旬、日本に入国したウクライナからの避難民が1000人に達したという。この避難民とは、政府が認定のハードルを厳しくしている「難民」と区別し、特例的に受け入れる措置です。政府は毎週、ポーランドからの直行便の一部座席を、ウクライナ避難民用に借り上げているほか、1日最大2400円の生活費を支給中。ほかの国々から日本を頼ってくる人々との対応差、なんでここまで？

〈6〉 過剰すぎて、息苦しい

医師会、そんなにありがたいの？

2020年11月下旬の3連休を前に、日本医師会の会長が「外出を控えて我慢の3連休に」と言い、東京都医師会の会長も「身近な人以外との面会を控えて」と、GoToトラベルの中断を訴えました。政府の対策分科会の提言もあったことから、菅総理も、範囲は明言しなかったものの同キャンペーンの一部見直しについて言及しました。

コロナ禍をめぐっては、日本医師会をはじめ、各都道府県の医師会が会見を開いて政府や首長を批判し、遊び呆ける「愚民」に自制を求めてきました。これをメディアは「専門家様からの有難いお言葉です！」とばかりに報じる。

しかし医師会って、言うなれば「医師・病院の業界団体」でしょ？ 大企業の業界団体である経団連みたいなものでは？　だから、医療専門家としての意見には耳を傾けるべきではあるものの、医師会としての発言は「業界団体からの陳情」であると見ることもできる。コロナのせいで、ほかの病気の受診者が減少して病院業界が大変なのは分かる。だからこそ、「外に出ないでくれ！　感染しないでくれ！　普通の患者を受け入れたいのだ」と切実に訴えた、とも見えます。

一方、7月には、「一般社団法人日本水商売協会」の代表が、国や都の対応についてで「夜の街」を悪者にして分断を煽ったと、外国特派員協会での会見で批判。全国100万人以上とされる従事者の一定数が失業する危機について言及しました。

どちらも業界団体のトップが自らの立場を述べているわけなのに、医師会には「ありがたや～」的対応で、水商売協会に対しても理解を示すメディアは多かったものの、ネットでは「お前らなんて潰れてしまえ。このクラスター発生装置め！」という厳しい声が多かった。

医師会とは「業界団体」である、と捉えやすい例がありました。2019年11月に開かれた政府の「全世代型社会保障検討会議」の会合についての記事です。医師会は患者の医療費負担増に反対し、経団連は容認したと、産経新聞の電子版が『医師会「受診抑制」vs経団連「公平性を」医療費の攻防激化』の見出しで報じました。

医師会は、医療費の自己負担が安い方が患者が多く来ると見込み、経団連はこれ以上若者を苦しめないでくれ、健保の保険料が上がったら従業員の給料を増やさざるを得ないし、場合によっては会社の負担割合が増えるではないか――こういう構図ではないでしょうか。両団体が自身の利害に関する主張をしあった形なのです。

なお、グーグルで「経団連」と検索すると予測変換候補に「いらない」と出てくることにも注目です。多くのメディアは、経団連が就職活動の前倒しを要求したりすると批判的論調で報じます。学生の「困りますよね」「勉強に身が入らない」といった声を報じる。経団連の会長には大企業の社長を経験したような人が毎度なるわけで、どうしても経団連自体が「悪の既得権益富裕層集団」といった扱いになってしまう。

一方の医師会は「医療については素人の我々に、素晴らしい提言をしてくださる」という扱いに。医師会をありがたがる風潮はただの理系コンプレックスです。（20/12/10）

◇2021年5月には、当の日本医師会の中川俊男会長が知人女性と寿司屋に出かけていたことを「週刊新潮」が伝え、中川氏は釈明と謝罪をすることになりました。文系も理系も欲望に差はないことがよく分かるニュースでした。

失われたロックフェス

史上最強の「お前が言うか！」案件（ネット用語では「おまいう案件」）が登場しました！　2022年1月21日、毎日新聞の電子版に掲載された〈「ロッキン、いつかまた茨城で」県医師会長が期待　千葉移転に驚き〉という記事です。

茨城県ひたちなか市の国営ひたち海浜公園で開催されてきたロックフェス「ロック・イン・ジャパン・フェスティバル（ロッキン）」が、今年からは千葉市で開催されることになった件です。茨城県の医師会が2021年8月の開催に対し、7月に主催者のひとつ・茨城放送に開催中止や延期を求めるべく乗り込み、その様子をHPで公開したのです。

「今後の感染拡大状況に応じて、開催の中止または延期を検討することや、仮に開催する場合でも更なる入場制限措置等を講ずるとともに、観客の会場外での行動を含む感染防止対策に万全を期すことを要請しました」

医師会として、ロッキンに多くの人が来ることでコロナ感染が拡大することを危惧したわけですね。結果的にこの条件では開催できないと、主催のロッキング・オン・渋谷陽一氏は実施を断念、2021年のロッキンは中止となりました。そして2022年1月、今年は千葉市蘇我スポーツ公園で開催するという旨が、渋谷氏から発表されたのです。

これを受け、茨城県医師会の鈴木邦彦会長が1月の定例記者会見で「移転は驚いており、いつか再び当地で開催されることを期待する」と発言しました。

バカヤロー！　2019年には33万7421人が来場し、茨城県に大きな経済効果をもたらしたイベントを潰した張本人が何を言うか！　昨年7月の中止発表の際、「地元民にとってはうるさいだけ」「変な人が来るから中止は歓迎」といったネットの声はありましたが、明らかに地元経済は潤っていたわけですよ。

私のように地味な地方都市のひとつである佐賀県唐津市在住者からすれば、観光客の減少は痛い、ということは分かっている。観光客が来るのを嫌がるのは年金生活者と、閉鎖的な人が中心。「全体最適」を考えず、自らの保身ばかり考えている。

当然、茨城の医師会としては、「県外から変な連中がたくさん来て医療崩壊になったらたまったもんじゃない」と思ったことでしょう。そして、「別にこのイベントがあろうが、病院に来る人の恒常的増加は見込めない」という判断があったのかもしれない。しかしね、医師会が圧力団体のように、「ウチの県でコロナ拡散イベントはやらないでくれ」と要求をし、その結果中止にされた渋谷氏らが今後茨城で正直やりたいと思いますか？　あり得ないでしょうよ。鈴木会長は一度追放した人間に帰ってきてくれ、と言っているに等しく、そんな道理通るわけがない。

県民の皆さん、茨城の大事なイベントを蔑ろにした医師会の会長が都合の良いことばかり言ってるんですよ。さらには、「茨城県民はビビりのバカ」といった論調も昨年夏、ネット上ではかなり見られましたし、「都道府県魅力度ランキング」で毎年最下位を栃木と佐賀と争っているといったことも論点になりました。

こんな要求をすると茨城県はますます最下位争いの常連になっちゃうよ、と佐賀の私は思います。(22/2/10)

◇佐賀にもフェスはあります。「佐賀さいこうフェス」は2021年秋に佐賀県立博物館・美術館前で行われたそうです。「佐賀の〝再興〟」と「〝最高〟の佐賀」をテーマとしたアートと音楽の祭典。サイトを見ると「当イベントは【佐賀在住の方のみ】参加できます」。がっくりきました。コロナめ。しかし2022年5月28・29日、「Karatsu Seaside Camp 2022」が開催され、奥田民生さんや真心ブラザーズが登場し、県外からの客も多数やってきて盛況でした。

500円で海鮮丼が食べられる国

1ドル＝114円に！　過去、79円の時にアメリカ旅行をした際には現地での物価の安さに仰天しましたが、今行ったら高さに仰天するでしょう。ここ数年、私は日本の物価と賃金の安さを問題視し続けてきました。各国の物価の指標を表す「ビッグマック指数」で日本は390円ですが、アメリカ621円、タイ429円です。アメリカはさておき、今や日本はタイよりも物価が安い「世界から買われまくる国」に落ちぶれました。東京の土地は高いものの、500円で海鮮丼が食べられるんですよ！

そして、土地にしても、私が住む佐賀県唐津の名士からこの前、「この山、所有権を移す諸費用にかかる3000円以上だったら売るよ」なんて言われ「4000円でいいですか！」と聞いたら「いいよ」。まぁ、冗談だと思いますが。

タイの物価の上昇については2019年末訪れた時にしみじみと感じましたが、最近一緒に壱岐へ旅行に行った会社員時代の同期・Sが日本のヤバさを的確に表す見事な発言をしてくれました。Sは上海支社→東京本社→福岡支社となり、今、唐津に住んでいます。朝食を買うため、コンビニへ行く車内での会話です。

「日本のコンビニ、やべーよ！　100円とか200円であのクオリティのスイーツが食べられるんだぜ！　中国のスイーツってバタークリームで昭和の日本の洋菓子的。日本人のパティシエがやっているウマい店もあったが、バカ高い！　それが日本では100円だぜ！　オレ、東京に戻った時、毎日会社の下のセブン‐イレブンで1つずつ買っていたら太っちゃったよ。しかも、毎月新作が出るからそれを全部買う」

ここまではほのぼのエピソードでいいのですが、次の言葉がかなりクリティカルヒットでした。

「この安さでこんなに幸せなんだったらあくせく働かないでいいじゃん、なんて思っちゃったよ！　だからオレは出世欲もなくなった」

Sは、グータラ社員として知られる漫画『美味しんぼ』の山岡士郎と『釣りバカ日誌』の浜崎伝助を目指すと明言していますが、まさかのその宣言の裏に「コンビニスイーツが安くてウマい」があったとは！

本人の名誉のために言っておきます。彼は自由奔放ですが、グータラ社員ではありません。きちんと成果を挙げています。

さて、ここから読み取れるのは、日本のサービス・商品提供者の過剰なまでの奉仕精神です。どう考えても、日本で買うものは値段の割にクオリティが高過ぎます。今の日本は「ステルス値上げ」に象徴されるように、本当は苦しいので上げ底の容器で量を減らして値段は変えない。これでは、物価は上がるでしょうが、給料は上がりません。値上げすればいいんですよ。

「安さ」のみを重視したこの約25年間、そろそろ価格上昇を受け入れ、過度なサービスの要求をやめる時です。コンビニバイトにまで敬語を求める必要はない。「袋いる？」とかタメ語でいいんですよ。

ただ、小室圭さんの家賃が60万円とか80万円とか言われているアメリカ、ビールが安いんだよな～。355ミリリットル24本入りケースで1本あたり90円とか。そこは呑兵

衛の私には羨ましい！（21/12/9）

◇1ドル＝114円で驚くのは早かった。円安は進み、2022年3月末には120円の大台を超え、4月末には20年ぶりに1ドル＝130円台に。こうなったらどこまで行くのか見届けます。

職業の「制服」は必要なのか

コロナ騒動以降、すっかり医者がテレビに出まくるようになりましたが、なんで患者を診るわけでもないのに白衣を着ている人が時々いるんですかねぇ？　番組側が「お医者さんだと一発で分かるようにぜひ！」なんて言っていることは想像できるのですが、どうせテロップで医者であることは説明するのだからスーツだったり普段着でもいいのではないでしょうか。

というのも、「その職業だと一目で分かる恰好をしろ」と言われた場合、ボクサーだったら上半身裸でグローブ着けなくてはいけないし、食品工場の管理者であれば、髪の毛が落ちない帽子をかぶらなくてはならない。こんな恰好でテレビに出たらただのバカです。

そんな状況下、なんで医師だけがこの恰好をするのだろうか……。もしもテレビ局のプロデューサーが出る場合はカーディガンを首に巻く「プロデューサー巻き」でしょう。では、私のような編集者・ライターはどんな恰好をすればいいのでしょうか！　当連載の挿絵を描いてくれている、まんきつさんのような漫画家であれば「ベレー帽をかぶる」というやり方がありますが、編集者・ライターはとんと恰好が分からん。

考えられるのは、「タバコを20本くわえて薄汚いセーターを着て出ていく」というものでしょう。まぁ、編集者のイメージを作りたいのであればコレです。あとは、完全に酔っ払って両脇にスナックのママを抱えて「ウェ〜」みたいに登場するぐらいでしょうか。

さて、今回は「いかにイメージを作るか」について考えてみますが、イメージというものは自分では絶対に作れません。世間様が作ったイメージに従うしかないのです。1980年代の野球雑誌で、新幹線から降りたところの選手の写真を見ると大抵は「パンチパーマ」「サングラス」「セカンドバッグ」でした。20代の選手でさえこのベテランオッサンのような風貌をしているのです！　完全にヤクザの下っ端のいでたちですが、この頃のプロ野球選手はこんなもんでした。

イメージ作りというものは、「ミュージシャンだったら刺青」「ＩＴ経営者だったらタートルネックのセーター」みたいなものがあります。

このイメージに従うってとんでもなくダサくありませんかねぇ？　私は、夏は「短パン・Ｔシャツ」で、秋から春は「スーツ」です。とにかく、恰好を考えたくないんですよ。いくら「編集者・ライター」という職業であろうとも、そのイメージとは関係なく「気温が高いか低いか」だけで、恰好を考える。

以前、アメリカのＮＢＡの監督がビシッとスーツで指揮を執っているのに、野球の監督は選手と同じユニフォーム姿でダサい！　といったことを書きました。すると「野球はマウンドにも上がらなくてはいけないからユニフォームじゃなきゃダメなんだ！」みたいな反論がネットでバンバン寄せられました。まぁ、いいわ。

ただ、バスケの監督だって、審判に抗議する時はスーツ姿で反論するわけですよね。やっぱり、「適切な恰好」ってものはその場を仕切る人のテキトー過ぎる感覚で決めていると思います。テレビに登場する医師は白衣なんて絶対必要ありません！（21/11/11）

◇謝罪会見の時だけは服装に注意したほうが良さそうで、無免許運転がきっかけで辞職することになった木下富美子都議は、胸の開いた赤い服装だったことがツッコまれました。

もうCSはやめようじゃない

おいおい！　セ・リーグ2位の阪神タイガース、クライマックスシリーズ（CS）で3位の巨人に2連敗して敗退。このシステム、もうやめませんか？　シーズン後半の「消化試合」を減らすための策だったのですが、完全にリーグ優勝や2位の価値を減らしています。阪神は今年序盤は優勝する勢いでしたが、とにかくCSでは毎度弱い。どうせ巨人に負けるのは分かっていましたが、やっぱり負けた。

多分、CSという「上位3チームが日本シリーズ出場を争う」制度ではなく、Jリーグのように J-1と J-2的な NPB-2を8球団作り、セ・パ両リーグの最下位球団が下部リーグの上位2チームとトーナメントをしてそこで勝った2チームが残留・昇格する、とした方がいいと思います。

ＣＳ制度については、現在の12球団ではあまりにも意味がない。なにしろ50％の球団が参加できるのですから。10月下旬まで体力を温存し、最後に本気出す、という勝負が本当の勝負ですか？　ＭＬＢのように30球団もあるから可能なのがプレーオフ制度なのです。

それなのに、「時の運」やら「なぜか短期決戦に強いチーム」が勝つのが日本のプロ野球のＣＳです。どう考えても「上位50％に入れば12球団中１位（８・33％）に入れる可能性がある」というシステムはおかしい。

さて、野球改革について、専門家でもない私はガンガン提言をする。まずは外国人枠の撤廃です。別に１番から９番まで全員外国人でもいいではありませんか！　大相撲だって横綱・大関陣はモンゴル人だらけだった。こんなもん、慣れですよ。

さすれば、ドミニカ共和国やプエルトリコや韓国や台湾の若き給料の安い逸材を発掘できるかもしれない。もしかしたら凄まじい能力のロシア人でさえいるかもしれない。そのこうした選手を大量に年俸４５０万円とかで抱え、翌年いきなり５０００万円！　その翌年は２億円！　みたいな感じにすると、日本という国の魅力が再び増すわけです。

正直、今の日本はまったく夢がない。ひたすらケチで貧乏に徹して、国民の一番好きなものが「クーポン」という情けない状態になっている。だから携帯電話会社が牛丼を1杯タダにするキャンペーンをやると大行列ができるんですよ。

こうした「ショボい日本」から脱却するにはとにかく外国人野球選手の力を借りて「ジャパニーズドリーム」を達成していただく必要がある。そうすれば彼らはその後MLBに渡り、そして34歳ぐらいになった時に再び日本に戻ってきて3割1分2厘、33本塁打、102打点、みたいな成績を残すスター選手になってくれるのです。

とにかく規制緩和ほど経済を成長させることはないのに、一体日本の野球界は何をやっておるのだ！　まずはCSを廃止し、下部リーグとの入れ替え制にし、外国人選手の人数制限をなくせ！　これをやるだけでかなり日本の空気は明るくなります。阪神がCSから撤退した今、私も、そして関西の方々も、もう本当に気分がドヨーンとしていることでしょう。とりあえず、優勝できなかったショックはありつつも、まさかの3位球団に負けるとは、というのは、大きな気持ちの落ち込みをもたらします。(21/11/25)

◇この年の日本シリーズは結局、ヤクルト対オリックスという優勝チーム同士の対決に。近年まれに見る接戦、名試合の連続となりました。ということはやはり1位同士がいいということなのでは。スイマセン、オリックスは関西のチームでしたね。パ・リーグ制覇おめでとうございます。

環境問題、不信感が拭えない

国連気候変動枠組条約第26回締約国会議（ＣＯＰ26）の大きな議題は、地球温暖化の主要因とされる化石燃料の削減です。化石燃料の中でも石炭は段階的廃止を求められましたが、石炭に頼る中国や発展途上国から支持されたインドが反発し、最終的には「段階的削減」に目標が修正されました。

会議出席者や記者はインドの代表を責めるような様子でしたが、正直「お前が言うか」と思いました。１７６０年代の産業革命から散々石炭を使って富を増したイギリスをはじめ、多くの先進国がこれまで石炭を利用し尽くしてきたから今があるんでしょ？

水力、風力、太陽光といったクリーンエネルギーでやればいい、というロジックですが、結局化石燃料が安くて効率的なんですよ。なんだったらインドは「じゃあ、原発をバンバン我が国に作ってくれ」といった極端な交渉でも良かったのかな、とも思います。

これは核兵器もそうです。散々核兵器を作りまくった国々が「これからは少なくするのに協力するんでよろしく」的態度をとりつつ、「核兵器禁止条約」の会議には参加しない。お前らが開発競争やりまくったからこんな会議をすることになったのに、いざとなればとんずら。そして普段は「核の抑止力があるから戦争が起きない」というロジックを主張する。

スウェーデンのグレタ・トゥーンベリさんに似ていますが、先日、新宿駅前で若者の環境活動家が子供を引き連れて石炭火力発電の廃止を訴えました。若者・子供の主張であればメディアは「彼らの未来のために我々は石炭火力発電をやめなくちゃいけない」となります。でも、あなたのその服、石油から作っているでしょうし、家で電気使いまくってるでしょ？　スマホの充電、火力発電で作った電気ですよ。あなた方活動家により原発止められていますし。そもそも、このデモの日、歩いてきたんですか？　団体の代表は愛知県から来たそうですが、当然新幹線で来ていますよね？

この手の話に私が不信感を持ったのは、1990年代前半〜中盤に遡ります。当時、地球温暖化で南極の氷が溶け地球が水没するとか、CO_2排出でオゾン層に穴が空き、猛烈に暑くなるとか言われました。もう30年同じことをやり続けているのです。そして、大学受験の小論文で、予備校の講師からはひたすら地球温暖化を含めた環境問題への懸念を書けばいいと指導された。当然元活動家です。

その後、牛のゲップによりオゾンホールが空くから牛を食べるのをやめようと言い出す人が出る。「環境問題は大事」「地球の将来を守れ」「子供に豊かな未来を残せ」という大義名分があれば、誰かを徹底的に責めてもいいと考えるのがこうした人々。コロナ騒動では「他人の命を守れ」「思いやりのためにワクチンを打て」といった人々が大量に登場しましたが、一見人道的なことを言っているようで、結局は自分と考え方の違う人間を悪人認定し、糾弾してるだけ。今回のインドへの批判だって同じです。

でも、いずれ氷河期とか来るかもしれませんよ。そんな時、「あの頃の人間は暖かくなることを問題視していたなんてバカな連中だ」と未来人から言われているかもしれません。(21/12/2)

◇今となってはウソのようですが、かつては地球に氷河期が来る！　という説も大真面目に唱えられていたのです。そう昔の話ではなく、１９７０年代になってもそういう懸念はありました。

今でも実はそういう説を唱えている学者も存在しています。

日本人が弱い「四大権威」はこれだ

楽天からヤンキースに移籍し、フリーエージェントになった田中将大投手が楽天復帰かも！　という報道が出た日にこの原稿を書いています。メジャーリーグが２０２０年は60試合しか開催できなかったこともあり、各球団資金不足と言われ、有力視されたパドレスもトレードで先発投手を獲得し、田中投手との契約を見送ったようです。

１年限定でもいいから帰ってきて欲しい！　私は切にそう思います。メジャーに行く前年は24勝０敗、防御率１・27で、日本シリーズでも快刀乱麻の大活躍。そんな田中投手が今年楽天に戻ってきたらメジャー復帰を視野に入れて登板を控えても18勝２敗、防御率１・12で沢村賞を取るのでは、なんて期待もしてしまいます（追記・本当に帰ってくるとは……）。

それはさておき、本当に日本人って「権威」に弱いですね。その最たる四天王が「ノーベル賞受賞者」「五輪メダリスト」「メジャーリーグ経験者」「理系の偉い人」です。ノーベル賞については、コロナに関連し、感染症の専門家ではない本庶佑先生や大隅良典先生を『羽鳥慎一モーニングショー』（テレビ朝日系）に出演させて政府批判、気が緩んだ国民への批判に利用する。同番組も「お前らは煽り過ぎだ」という批判を受け、ノーベル賞受賞者が前日にコロナに対する提言をしたことからその権威にすがったのでしょう。ただ、お二人には「お爺さんは現役を邪魔しないでくださいね」とも感じました。

正直、お二人のように、一生安泰な方が、我々のような中年・若者をノーベル賞の権威をもってリモート出演で批判されるのはいかがなものでしょう。いくらがん治療に貢献されたとはいえ、がんにもなっていないこちらからすれば「オレらの行動を制限するためにノーベル賞の権威を利用するんじゃねーよ！」と思います。

思えば、毎度ノーベル賞の受賞者に対しては、テレビのワイドショーで文系のキャスターが「我々には分からないレベルですが……」と注釈を入れたうえで「とにかくすごいんです！」とやってきた。だからこそノーベル賞受賞者という権威性は絶大で、この二人が登場した後のツイッターは政府批判や「ノーベル賞を受賞している立派な方がここまで警告しているのに日本の現状は緩み過ぎ！」といった意見が目につきました。

ただ、今回のコロナ騒動、医療関係の権威は色々予想を外しまくりましたよね？　昨年4月7日の東京の緊急事態宣言にあたって、その前日の陽性者数は85人でした。で、「第3波」の最高って2520人です。

30倍もいて、今回も同様に「緊急事態宣言」と言っている。どうせなら「MAX激ヤバ緊急事態宣言。もうお前ら家から一歩も出るな！　宣言」ぐらい言ってもいい。

とにかく「権威」の前には我々みたいな「下級国民」は無力です。だからこそ、ノーベル賞受賞者の言うことには「ははーっ！」と従わなくてはいけないし、五輪メダリストである谷亮子氏が国会議員になれる。実績がなくても、メジャーリーグ経験者ならとんでもない高額で日本のプロ野球と契約できる。

高校を経てアメリカに渡ったマック鈴木投手って、米で通算16勝31敗、日本の最高成績は4勝9敗、防御率7・06です。(21/2/11)

〈6〉　過剰すぎて、息苦しい

◇2021年10月、米プリンストン大上席研究員の眞鍋淑郎氏がノーベル物理学賞を受賞しました。「日本人が受賞！」とメディアは盛り上がっていましたが、眞鍋氏はとっくにアメリカ人になっていたことには各方面から冷静なツッコミが入ったのでした。ちなみに第6波の時、東京の陽性者数は最高21562人で、「85人」の253・7倍です。

「美人」と気軽に褒められない時代

東北新社から7万円超の接待を受けていた山田真貴子内閣広報官が辞任しました。ネットで「山田真貴子」と検索すると予測変換で「若い頃」という言葉が出ます。これは一体どういう現象かといえば、「おっ、山田さん、美人だなぁ。若い頃はさぞや今以上に美しかったんだろうなぁ！　若い頃の顔写真を見たいなぁ」と、多くの人の心を揺さぶっているということを意味します。

「トレンドブログ」と呼ばれる、「かもしれませんね」などの憶測とコピペに溢れ、最後に「いかがでしたか?」で締める、多くが著作権・肖像権違反のクソサイトで、「山田真貴子がかわいい！　若い頃の顔画像は?　経歴と夫や子供・家族は?」といった記事（笑）にされ、それをクリックする下心が広告費に化けるのです。

多くの男性は、「限定的なある状況下においては美人だなぁ」という人を「美人過ぎる◯◯」などとして消費してきました。だからこそ、「不倫出張疑惑」の大坪寛子厚労省大臣官房審議官や、相撲中継の際、両国国技館の前方に映る「溜席の妖精」などが「美人だ！」と評判になり、クソサイトのコンテンツに採用されるのです。

かつてネット記事では散々「美人過ぎる◯◯」が登場してきました。「美人過ぎる八戸市議」「可愛過ぎる海女」「美人過ぎる野球場ビール売り子」「美人過ぎる甘栗販売員」などがありました。また、「広末涼子似」と評判になった元芸人のおかもとまりさんは、「可愛過ぎるものまね芸人」と呼ばれたものです。要するに、「女性芸人は不細工である」といったイメージがあったのです。

これらの登場はほんの8年ぐらい前までで、大手メディアのネット記事でも頻繁に登場した記述ですが、最近はさすがに減少しています。それは、女性をルックスで評価するのはセクハラであり差別である、という意識が定着しつつあるからでしょう。そんな状況下、「トレンドブログ」は相変わらず「山田真貴子がかわいい！　若い頃の顔画像は？」なんて平気で書くし、「山田真貴子さんが美人と評判です。若い頃はさぞやモテたんでしょうね。だからこそ、飲み会にも誘われるのでしょうね」みたいな、テキトー過ぎる憶測を繰り出します。

これが多数のアクセスを集めるということは、当然男性の心の中には「ルックス至上主義」というものが未だ存在し、公言しなくなったものの、心の中は8年前と変わらないということになります。

なお、「イケメン過ぎる◯◯」で有名な二大巨頭は中国の「イケメン過ぎるホームレス」程国栄氏（サッカー元日本代表・中澤佑二氏と伊勢谷友介を足して2で割った雰囲気）と、名古屋の東山動植物園の「イケメン過ぎるゴリラ」であるシャバーニです。ここまで意外性がないと「イケメン過ぎる」の称号は得られないようです。

山田氏については朝日新聞出版が運営するニュースサイトＡＥＲＡｄｏｔ．が「菅首相の長男が接待した美人内閣広報官の裏の顔　更迭された総務省幹部の後任は夫」というタイトルの記事を出しました。これには「森喜朗を『女性蔑視』と叩いた朝日が『美人』と見出しに持ってくるとは何事か！」といった批判が多数ネットに書き込まれ、「美人内閣広報官」部分が「山田内閣広報官」に代わったというオチもつきました。

(21/3/18)

◇2021年10月には福島県相馬市長が、連合の新会長について「美人」と評して批判を浴び、謝罪させられる羽目に。この時は、会長も「容姿に触れるのは今の世の中では許されない」と批判したそうですが、美人と言われるのが何より嬉しい人、一度でいいからそう言われたい人の立場はどうなるのでしょうね。

「行けたら行く」奴は来るな

「コロナが落ち着いたら……」「コロナが明けたら……」「コロナが収束したら……」の3つの言葉がすっかり定着しましたね。その後に続くのは「飲みに行きましょう」や「ぜひパーッとやりましょう」などです。これらの言葉を「体の良い断りの言葉」として巧みに使用する人もいれば、本気でコロナを怖がってこの言葉を使う人もいます。

最近ツイッターユーザーが指摘していたのが、これらのフレーズは「行けたら行く」と同じようなものである、ということです。確かにそうですね。「行けたら行く」というのは、「行きたくないと言うと角が立つから使う言葉」で、実質的には「行きません」

という断りの言葉です。

以前、私が飲み会に誘った際の、この言葉への違和感についてコラムで書きました。「そいつの席まで予約していたのに当日来ないヤツが多過ぎるので、『行けたら行く』と言うヤツに対しては『じゃあ来るな』と言い、金輪際そいつを誘わなくなった」という趣旨の原稿です。

ネットのコメントを見ると、私に対して「はぁ……、なんで空気が読めないの？『察してくださいよ』という意味です」といった声に加え、「関西では当たり前」という書き込みが案外多数ありました。

私はそんな面倒くさいコミュニケーションなんてしたくないですし、来たくない人と一緒に同じ場にいたくもない。「行かないです」と直接的に断る文化がさっさと日本に定着して欲しいです。だから私は、「じゃあ来ないでいいです」と明確に言い切るのです。なんでいちいち察してやらなくちゃいけないんだ。

飲み会なんてもんは、誘う側の人間としては同じ部署だから一応誘ったり、普段から何らかの接点がある人間には全員に声を掛けるものなんですよ。だから幹事からすれば来ても来なくてもどちらでもいい。後で「なんで私を誘わなかったんですか！」と言われるのが面倒くさいから声を掛けているだけなのに、「行けたら行く」って何なんだよ。

何らかの会合の誘いが来たら「行く」「行かない」の2択しかない。百歩譲って「行くつもりですが、その日、ヤバいトラブルがあったら行けません」までは許せます。それを、「私は行きたくない気持ちを『行けたら行く』という言葉に託したのに、それを理解しないってバカ?」と察することを要求するゴーマンさはまったく許せませんね。

今、「コロナが落ち着いたら……」と言う知り合いがいる方、そいつ、多分切ったほうがいいですよ。そいつは今後の人生でどうでもいいヤツです。

さて、ご存じのように私は東京を脱出して佐賀県唐津市に引っ越しましたが、とにかく唐津に来る方々が無茶苦茶多いんですよ！　5月は5組、6月は6組、7月は7組！12月は12組になるのか！　という勢いですが、この人達は「コロナが落ち着いたら……」なんて一切言わず「中川さんと会いたいので唐津行く！」「福岡出張のついでに唐津行く！」と言ってくれる。ありがとう。

しかし思うのは、「行けたら行く」「コロナが落ち着いたら」的言葉を使う人は、なぜ「私は飲みになんて行きたくないんで、もう誘わないでね！」とハッキリ言ってくれないんですかねぇ。あなたのその無駄な配慮がより他人に迷惑をかけるのです！(21/6/24)

◇2021年10月以降、明らかにコロナは落ち着きましたが、「コロナが落ち着いたら」の人たちはどのように動いたのでしょうか。

「不要不急の大便は自粛願います」

もう、この世の中「感染対策」と称しておけば何をやっても高く評価される状況のようですね。立憲民主党の長妻昭議員が国会で「公共交通機関での不織布マスク推進」を提言し、斉藤鉄夫国交相が鉄道事業者に働きかけると答弁。世界がマスクを外している中、日本はコレ。長妻さんこそ公衆衛生の鑑です。ヨッ、大統領！　あと、2歳児へのマスクも「推奨」されました。今や日本では「推奨」は「強制」です。さっそく各保育園では2歳児のマスク着用が始まりました。

この前見たニュースでは、大阪の保育園の素晴らしい対策が紹介されていました。子供たちにマスクを着用させるのは当然、食事中もマスクを着けたり外したり、床に正座して椅子に食事を並べて「黙食」する。職員が適宜デジカメで園児を撮影するとともに、16台の監視カメラを駆使して園児がどのタイミングで濃厚接触者になったかや、マスクをしているかなどをチェック。そしてここの理事長がドヤ顔で感染対策を誇るわけですよ。あ〜、良かった〜、こんな馬鹿な国に子孫を残さなくて本当に清々しい！

さて、先日、このバカげた2年間の「感染対策」を振り返る資料を作ったので、ザッと挙げます。

・エレベーターのボタンは第二関節で押す
・第二関節でも危ないため、爪楊枝や綿棒をエレベーター内に設置し、ボタンにはこれらを使い必ず捨てる
・電車の吊革にひっかける自分専用のフック使用
・運動会では「組まない組体操」
・修学旅行は学校で密になって現地ガイドのプレゼンを見る「リモート修学旅行」
・トイレのハンドドライヤー使用中止で手を洗わない人続出
・運動会のリレーは2メートルのバトンを使用

・授業参観で保護者は廊下に台を置き、上方の小窓から見る
・美術館ではビニール傘を使いソーシャルディスタンス維持
・巨大観音様にマスク
・マスクをしていても笑顔の顔が分かる「鼻から下の写真が載った名刺」
・透明な提灯型パーテーションに個々人が入る「提灯会食」

中でも秀逸だったのが、コンビニに貼られた「不要不急の大便は自粛願います」の貼り紙です。そして私が「キングオブバカ感染対策」に認定するのが「食べずに見守る流しそうめん」。

前出の数々の対策で見事なオチがついたのが「2メートルのバトン」です。嘘しか報道しないことを社是としているサイト「虚構新聞」が、2020年9月に〈2mのロングバトンも　コロナ禍で「新しい運動会」　マキャベリ小〉という記事を掲載。するとその約2週間後、なんと神奈川県相模原市の小学校で2メートルのバトンを使う運動会が本当に行われてしまい、虚構新聞はお詫び記事を掲載するに至りました。

もしかしたら相模原の小学校の教師は安心・安全な運動会のありようを探るべくネッ

トを見ていて虚構新聞の記事に辿り着き、「これだ！」と思ったのかもしれません。虚構新聞のURLは kyoko-np.net のため、一瞬「京都新聞かな」と見紛うのもトラップです。

虚構新聞に釣られてこの競技をやったのならまだしも、2メートルのバトンを本気で考えて実施した教師がいるのだとしたら、日本の教育は馬鹿製造装置といえましょう。

(22/3/3)

◇知り合いに聞いたのですが、コロナ禍で小学生になった子供たちは、「遠足なし」「校外学習なし」「給食は黙食」が当たり前。考えると泣けてきます。全国の先生たち、「感染症対策」につぎ込んだ熱心さをもって、当たり前の小学生生活を送れるようにしてください。

マスク会食術はもはや作法である

都市伝説だと思っていた「マスク会食」をついに見ました。もちろん、店内に入ってから飲み物が来るまでマスクをし続け、その後は外し、便所に行く時と会計時に装着する集団というのは何度も見たことがあります。しかし、飲み物と食事が来てもマスクを着け続ける人々は初めて見ました。

一つは立川のファミレス。女子大生風3人組がいたのですが、パスタを一人が取り分ける時も全員が押し黙ってマスク着用。取り分けが完了し、食べ始めたら顎マスクにし、口に入れるや否やまたマスクを装着。まさに、テレビの食レポをする人のごとき仕草をするのでした。テレビに影響されたんだろうか。

そしてその近くの男子大学生は8人組だったのですが、テーブルをくっつけることなく、小池百合子知事が提唱したように4人×2にしている。彼らもマスク会食をし、ドリンクバーや手洗いに行く時はピタッとマスクを着ける。

さらに凄かったのが都心のピザ店です。40代前半の上司風の男と30代前半の部下風の女2人だったのですが、飲み物が来たら女2人はマスクを外すのですが、男はその後1時間半ほどの間、まさに政府分科会会長・尾身茂氏が提唱した「尾身食い」をするのでした。耳にマスクの紐をつけ、垂れたチーズを箸で集めてピザ本体の上に集め、目の前にいる女性2人に飛沫を飛ばさないためか、下を向き、ピザをパクリ！　そして即座にマスクをする。

この時、ジャーナリストの鳥集《とりだまり》徹氏と一緒にいたのですが、この男の見事なまでのマスク会食術に「あれは作法だ」とまさかのマスク会食会の裏千家認定をするに至ったのでした。

果たしてこんなことをして「カンセンショウタイサク」とやらになるのでしょうか。何しろこの店は満席。マスクをして食事をしている客などこの男以外にいないんですよ。となれば考えられるのは、①本気で怖がっている、②「尾身食い」がカッコイイと思っている、③周囲への配慮ができるオレ、カッコイイし仕事ができる！　と思っている、のどれかでしょう。

しかし、いずれの理由もアホ過ぎですが、鳥集氏とは「いやぁ〜、貴重なものを見ましたね！」としみじみ語り合ったのでした。

そんな中、ツイッターで見たのが、内閣官房が制作した「マスク会食」の推進ポスターです。メインコピーは「最初は違和感　そのうち習慣　『マスク会食』」でサブのコピーは「飲食する時だけマスクを外し、会話の際にはマスクを着けて」とあります。そしてイラストはちゃぶ台に座る４人。手前にはマスクを着けて会話をする女２人がいて、奥にはビールのジョッキを飲む男と箸を口に運ぶ男。ご丁寧にもこの2人がマスク袋にマスクを入れている様子も描かれている。

正直、ここまでして会食なんてしたくありませんよ。しかし、これを律義に守る人が多いから、立て続けに東京でマスク会食を3組見たのでしょう。すれ違う時に傘を斜めにするなど他人に配慮する「江戸しぐさ」は実際は存在しなかったことが定説ですが、世にも奇妙なマスク会食はまごうことなき「令和しぐさ」として存在するのです。これは後世に残しておかなくてはならない。「あの頃の日本人は馬鹿だらけ」と。(22/3/17)

◇神奈川県のHPにさらに詳しい作法が掲載されていました。「マスク飲食の徹底」として、①片方の耳ひも部分を持ち、耳からマスクを外して飲食　②会話をするときには、再びマスクを着用、だそうで、「お料理が来るまでマスク」「食べるときは黙食」「会話するときは再びマスク」……もう息苦しいにもほどがある。

ご都合主義な日本人の「お気持ち」

本当に日本って「お気持ち」で世の中が動いて、気持ち悪いですよね。ウクライナからやってきた狂犬病ワクチン未接種の犬であっても、特例で検疫における隔離が免除されたのです。

きっかけは、とあるウクライナ人女性が連れてきたレイ君という犬。狂犬病予防法に基づき、180日の隔離（1泊3000円）が必要と告げられ、この女性は「こんなことならば母国でレイ君と一緒に死ぬべきでした」と発言。このニュース及び関連ツイートが大拡散し、「犬は家族みたいなもの！」という声に加え、折からのウクライナへの同情的世論の後押しもあり、今回の特例となりました。世界で11しかない狂犬病のない国が何やってるんだか。

「お気持ち」で有名なのが韓国です。国内でも海外からも皮肉を込めて「国民情緒法」があるとされています。永遠に終わらない「反日」もそうですし、朴槿恵元大統領と側近だった崔順実を巡る「崔順実ゲート事件」では、収賄・不正献金・親族の不正進学問題など「上級国民」への怒りが大爆発し、「ロウソクデモ」が発生し朴政権は崩壊。

結局国民感情が大いに政治と社会を動かすわけですが、日本も同じです。オミクロン株が南アフリカ等で広まった時、岸田政権が鎖国を発表すると読売調査では支持する人が89%。帰国日本人と来日外国人に厳しい待機期間を設け、世界が開国をしても永遠に鎖国を続けている。マスクを外して楽しそうに飛行機に乗ったり満員のスポーツイベントで大声を出している世界と日本の差を感じていますが、結局「コロナは怖い」「マスクは大切」という「お気持ち」が支配的だから変われないのでしょう。

それでいて今回の狂犬病の件、一体何なんですか？ オミクロンは怖いけど狂犬病は怖くないってか？ 世界で毎年5万5０００人が死に、狂犬病ウイルスを持つ犬に嚙まれて発症したら致死率はほぼ１００％。死なないためにはその後ワクチンを打ち続けなくてはいけなくなる。もう、完全に人々が麻痺している。

「ウクライナが可哀想」の空気に政府も抗えなくなったのでしょう。それでいて未だにオミクロンの水際対策が支持されているのも意味不明。しかし、もしウクライナから来た犬が狂犬病を発症し、周辺地域の飼い犬が鎖で繋がれて保健所で検査を受け、軒並み殺処分される羽目となったら、「なぜ特例を出したんだ、無能政府！　ウクライナ人は帰れ！」とまたお気持ちが変わるのでしょう。

思えば私は、お気持ちを読まない人生を歩み続けてよかったです。どうでもいい他人からいかに嫌われても構わないため、違和感を覚えるものには文句を言う。だから大学時代も生協が利権を握っていた新入生のクラスTシャツ販売権を彼らから奪い、前年まで4000円も払っていたものを私と友人が手作りで1200枚作って1500円で新入生に売り、生協を激怒させることも厭わない。

だってその方が学生のためになっているでしょ？　という開き直りですが、大事なのは、空気を読まない人はそんなに気にされていないことです。「なんだアイツ！」と思う人なんて10％程度。残りは何とも思っていません。だからお気持ちを読む必要はありません。（22/5/5・12）

おわりに

まぁ……。この2年以上、バカでしたね。本当にムカつくことが多かったですし、なんで人間はこうも愚かなのか、謝れないのか、前言撤回できないのか、自己正当化をするしかないのか、という思いでいっぱいです。もう、そんな事例を多数書きまくったので、最後は穏やかに終えます。「唐津の呑気ネコ」について書いてみます。

私は40歳になった2013年、ネットニュース編集者として8年目の「年間364日労働生活」を迎えました。それだけ働けばお金はかなり貯まっていましたし、正直、編集者としてやりたいことはほぼ終わりました。燃え尽き症候群とでもいうべき状態になっていたのですが、そのまま惰性で仕事を続けるにはモチベーションが足りませんでした。そこで、一つの目標を設定しました。

2020年の東京オリンピックを無事報道し、47歳になる8月いっぱいで連載以外の仕事を辞め、アメリカ・シカゴへ行き、「在米ジャーナリスト」になってアメリカの事情を日本に報告する。お金はそんなにもらえなくてもいいが、とにかく年間364日労働生活はやめたい。

これを決めると途端に人生にハリが出てきました。決めてからすぐに弊社の社員・Y嬢とその他濃厚な仕事をしている仲間にはこの決定を伝えました。口に出すことで退路を断つ意味もありました。

毎週日曜日、家人と一緒に行く乃木坂の豚しゃぶの店の個室で「シカゴではシカゴ・ブルズのシーズンチケットを買おう」「教会に行って友人を作ろう」などと将来の展望を話し続けました。そして、毎年年末年始は海外に行っていたのですが、1月1日になった瞬間「あと5年だね」などと言い、ついにやってきた2020年1月1日。バンコクのホテルでは「ついに今年が来たね。あと8ヶ月、乗り切ろう！」と2人して感慨にふけったのでした。

そうしたらやってきたのが新型コロナウイルス。アメリカに行くどころではない。コロナのせいにして隠居を撤回し、そのまま編集業を続けることはできたのですが、男が何年も前から宣言していることを撤回するわけにはいかない。しかし、今より暇になるだけの東京生活をしているだけでもつまらない。そんなことを渋谷の飲み屋で嘆いていたら、佐賀県の仕事を多数やってきたライターのヨッピー氏が「中川さん、佐賀行ったらどうですか？　今、移住者探してますよ」と言うではありませんか！　それもいいな、と思い家人に相談したら「別にいいよ」とのことで佐賀への引っ越し（山田詠美さんへの敬意）が決定！　その後県庁の移住促進課の人とヨッピー氏とリモート会議をしたところ、私の希望する「釣り」「クワガタ捕り」「黄ニラづくり」が実現するのは唐津しかない、ということで、唐津に引っ越すことが決まりました。「11月1日にする！」と宣言しました。

しかし、唐津に来てみると――。知り合いはいないし、なんとなく私の派手派手なリュックや常にスーツを着ているところが浮いてしまっておりました。コロナで唐津くんちも中止となり、街も活気がない中、「こりゃ失敗だったかな……」。東京に戻るのもアリだな……」と思っていた12月に現れたのが「唐津の呑気ネコ」でした。たまたま会社員時代の同期・澤田君が唐津に住んでおり、彼は仲良くしてくれたのですが、知り合いはそこまで増えない。そんな中、このネコが私と家人の大事な心の支えになったのです。自宅隣の公園にいて「ギャーッ」と鳴きながら私の足に絡みついてくる。突然仰向けになり、腹を撫でさせる。いつしかこいつに会うのが楽しみになり、「唐津の呑気ネコ」と呼ぶようになりました。
こいつは公園で遊ぶ子供達とも仲が良かったのですが、私にも知り合いが次々と増え始めた2021年5月、呑気ネコは突然消え去りました。あれから呑気ネコを探す日々が続いたのですが、見つかりません。そんな中、こんなストーリーを考えました。子供向けの絵本の原作です。

『やさしい唐津の呑気ネコ』

小学校4年生のひろし君は東京でおおぜいのおともだちに囲まれ、楽しい学校生活を送っていました。足もはやく、クラスの人気者です。しかし、もうすぐ5年生になる直前の3月、会社から帰ってきたお父さんがこう言いました。
「4月から唐津《からつ》にてんきんになったので、ひろしもお父さんとお母さんと一緒に唐津に行くからね。もうすぐ学校にはつたえるので、おともだちにはその後、ちゃんとおしえるんだよ」

「えー、イヤだなぁ。ぼく、今の学校も、ともだちも大好きなのに」

「しょうがないよ。だってひろしのごはんだって、ランドセルを買うお金だってお父さんがかせがなくちゃいけないんだよ。それに、あたらしいおともだちもできるかもしれないじゃないか」

「わかったよ。そうしたらぼくはともだちとさいごの1ヶ月、たのしくすごすことにするね。ところで唐津ってどこ？」

「九州の佐賀県だよ」

「そんなところ聞いたことない。東京がいい！」

「わがままは言わないでね。もう、しょうがないんだよ」

こうしてひろし君の唐津生活がはじまりました。5年生のクラスであいさつをすると、はくしゅはしてもらえましたが、どうきゅうせいは「あの子、ことばがぼくたちとちがうな」とけいかいをされ、けっきょく初日はだれともしゃべれませんでした。

どうきゅうせいがともだちとつれだって家に帰るなか、ひろしくんはひとりぼっちで川沿いの道をあるき、新しい家のちかくへ。かなしいきもちになっていたため、すぐには家に入れず、家のとなりにあるこうえんに行くと「茶トラ」とよばれる茶色と黄色の縞のネコがベンチにすわるひろしくんのところによってきました。

そして「ギャーッ」とだみ声でなき、ひろし君の足にまとわりつきました。そのあとはひろし君からはなれるけはいを見せず、ずーっとひろし君の近くにいます。

「きみはぼくのともだちになってくれるの？　それにしても呑気《のんき》だね」

そうひろし君が聞くとネコは「ギャーッ！」と答えてくれ、おなかを出しました。ひろし君は「きみはかわいいね」と言いながらおなかをなでました。家にかえるとお母さんが「ひろし、おともだちはできた？」と言いました。ひろし君はこう答えました。

「がっこうではまだできなかったけど、そこのこうえんで『ギャーッ！』となくネコがいて、こいつとはともだちになったよ！」

それからしばらくひろし君は学校でおともだちはできなかったので、毎日この呑気なネコと放課後に遊ぶ日々がつづきました。

ある日、こうえんでこの呑気なネコと遊んでいたら、バスケットボールを持った少年が6人やってきました。そしてボール遊びをはじめたのですが、途中からひろし君に気づき、こう言いました。

「そのネコと君が仲がいいのはずっとみていたよ！　ぼくらともいっしょに遊ぼう

よ！」

そうしてこの日、ひろし君は、たけし君をはじめとした同じ小学校に通うどうきゅうせいと日が暮れるまでボール遊びをしていました。呑気ネコはベンチの上でひろし君が遊ぶ姿を見続けました。ひろし君は家に帰る時、呑気ネコに「また会おうね」と言ったら「ギャーッ！」と答えてくれました。

以後、ひろし君は学校でもおともだちが増え、放課後はこのこうえんでボール遊びをし、たのしい唐津のせいかつが始まりました。呑気ネコと会う機会は減り、おともだちと遊ぶきかいが増えました。

そしてある日から呑気ネコとバッタリと会わなくなりました。２ヶ月ものあいだ、呑気ネコを探したのですがまったく出会うことができません。ひろし君は「君に会えなくてさみしいよ。でも、君がいてくれたおかげでぼくはたくさんのおともだちをつくれた。呑気ネコ、ありがとう！」とかんしゃしたのです。

呑気ネコは「ひろし君、もうぼくは君にはいらないよね。次のひろし君を探しに、つぎのばしょへ行くよ」とひろし君のもとをはなれていったのです。

まぁ、稚拙な児童書的なものを最後に書いてしまいましたが、コロナ騒動の期間中、私はこのような「とにかく救いしかない『いい話』」を求めてしまった面があります。本書に最後までお付き合いいただきありがとうございました。コロナがいつ終わるかはまったく分かりませんし、正直、この馬鹿な国がいつ目覚めるのかは分かりません。目覚めた後もどうせ責任のなすりつけ合いと罵詈雑言合戦が繰り返されるのでしょう。あまりにもくだらな過ぎたこの2年以上、こうして最後は呑気ネコの話で終わらせたいと考えました。それでは皆様、幸せな人生を！　そして、皆様は「よくも言ってくれたよな」と強気に主張しても良いと思います。ありがとうございました。

2022年5月

中川　淳一郎

中川淳一郎　1973(昭和48)年東京都生まれ。ライター、編集者。博報堂を2001年退社、独立、20年に東京脱出し佐賀県唐津市在住。著書に『ウェブはバカと暇人のもの』『バカざんまい』など。

Ⓢ新潮新書

955

よくも言《い》ってくれたよな

著　者　中川《なかがわ》淳《じゅん》一郎《いちろう》

2022年6月20日　発行

発行者　佐　藤　隆　信

発行所　株式会社 新潮社

〒162-8711　東京都新宿区矢来町71番地
編集部(03)3266-5430　読者係(03)3266-5111
https://www.shinchosha.co.jp
装幀　新潮社装幀室

印刷所　錦明印刷株式会社

製本所　錦明印刷株式会社

ISBN978-4-10-610955-3　C0236

価格はカバーに表示してあります。

新潮新書

530 ネットのバカ　中川淳一郎

ネットの世界の階級化は進み、バカは増える一方だ。「発信」で人生が狂った者、有名人に貢ぐ信奉者、課金ゲームにむしられる中毒者……「ネット階級社会」の正しい泳ぎ方を示す。

683 バカざんまい　中川淳一郎

バカ馬鹿ばか69連発！　メディアのお祭り騒ぎから芸能人の驕り、巷の勘違いまで、次々成敗!!　読後爽快感220％、ネットに脳が侵されていない賢明な読者に贈る、現代日本バカ見本帳。

871 恥ずかしい人たち　中川淳一郎

態度がエラそう過ぎるオッサン、言い訳する能力もない政治家、〝義憤〟に駆られた「リベラル」「保守」。時に実名を挙げ、時に自らを省みながら綴った「壮絶にダメな大人」図鑑！

921 アホか。　百田尚樹

政治家の呆れる言動、メディアの欺瞞から、犯罪者の奇想まで。想像の斜め上をいく出来事に、ベストセラー作家も思わずツッコまずにはいられない！　笑いと義憤に満ちた92のアホ事件簿。

922 ビートルズ　北中正和

グループ解散から半世紀たっても、時代、世代を越えて支持され続けるビートルズ。音楽評論の第一人者が、彼ら自身と楽曲群の地理的、歴史的ルーツを探りながら、その秘密に迫る。

Ⓢ新潮新書

923
イルカと心は通じるか
海獣学者の孤軍奮闘記
村山司

924
世界の知性が語る「特別な日本」
会田弘継

925
独身偉人伝
長山靖生

926
談志のはなし
立川キウイ

927
中国「国恥地図」の謎を解く
譚璐美

船に乗れない生物学者が水族館通い、三十余年の実験で迫った驚異の賢さとは。言葉を教えるには音？　視覚？　シャチが実験に飽きた？　たどりついた「夢のはじまり」を一挙公開。

近現代日本は世界にとって如何なる存在だったのか。リー・クアンユー、李登輝、オルハン・パムクらにインタビューし、「日本の達成」に対する彼らの特別な思いに迫る。

エリザベス一世、マザー・テレサ、ニュートン、カント、小津安二郎……偉大な事績を遺した「おひとりさま」19人の言行と信念から見えてくる、本当の「自分らしさ」。

没後十年。金言・名言もいいけれど「普段の談志」をもっと知って欲しい！　前座生活16年半、最も長く身近にいた弟子だからこそ知る、笑いあり涙ありのエピソードが満載!!

中国が列強に奪われた領土、すなわち「中国の恥」を描いた「国恥地図」。実物を入手した筆者は、日本に繋がる不審な記述に気がついた。執念の調査で、領土的野望の起源が明らかに。

Ⓢ新潮新書

928 職務質問　古野まほろ

「こんにちは、お時間いいですか⁉」街頭で突然、警察官が声を掛けてくる。「どこをどう疑ったんだ……」本邦初、元警察官の著者が赤裸々に描く〈街頭の真剣勝負〉の全貌。

929 平成のヒット曲　柴那典

「川の流れのように」から「Lemon」まで、各年を象徴する30のヒット曲の構造を分析。小室哲哉、宇多田ヒカル、SMAP、Perfume、星野源……平成30年間の時代精神に迫る力作評論。

930 最強脳　『スマホ脳』ハンセン先生の特別授業　アンデシュ・ハンセン　久山葉子訳

コロナ禍で増えた運動不足、心に負荷を抱える子供たち――低下した成績や集中力、記憶力を取り戻すには？　教育大国スウェーデンで導入された、親子で読む「脳力強化バイブル」上陸。

931 コロナ後　ハーバード知日派10人が語る未来　佐藤智恵・編著

日本が本来持っていた伝統と強みをどう活かすか。世界最高の知性たちの知見は、未曾有の危機に立ち向かう私たちに前を向く勇気を与えてくれる。激動の時代を賢く生き抜くための書。

932 大坂城　秀吉から現代まで　50の秘話　北川央

秀吉は本当はどんな顔だった？　淀殿の恋のお相手は？　秀頼は大坂の陣後も生きていた？　そして最後の将軍・徳川慶喜がここで過ごした日々とは――知られざる歴史秘話満載！

Ⓢ新潮新書

933 ヒトの壁 養老孟司

934 官邸は今日も間違える 千正康裕

935 「やりがい搾取」の農業論 野口憲一

936 イクメンの罠 榎本博明

937 日本の近代建築ベスト50 小川格

コロナ禍、死の淵をのぞいた自身の心筋梗塞、愛猫まるの死――自らをヒトという生物であると実感した2年間の体験から導かれた思考とは。84歳の知性が考え抜いた、究極の人間論！

アベノマスクに一律給付金、接触アプリのトラブル。現場に混乱を生み、国民の信頼を損なう政策はなぜ生まれるのか。元厚労省キャリアがもつれた糸を解きほぐす。

構造化した「豊作貧乏」から脱し、農家が農業の主導権を取り戻すためには何をすればいいのか。民俗学者にして現役レンコン農家の二刀流論客が、日本農業の成長戦略を考え抜く。

鈍感、不真面目、頼りない――ここ数十年、子ども達の父親に対するイメージは悪化し続けている。心理学者が「父性機能の低下」と「自立できない子どもの増加」に警鐘を鳴らす！

建築は、時代と人々を映す鏡である――日本で近代建築が始まって約100年。現存するモダニズム建築の傑作50を選び、豊富な写真とエピソードとともにプロが徹底解説。

938
日本依存から脱却できない韓国
佐々木和義

韓国は日本製品を買わない・使わない・日本に行かないという「ノー・ジャパン」を掲げたが、被害を受けたのは韓国人の方だった。衣食住に浸透する日本ブランドの圧倒的な強さとは？

939
親鸞と道元
平岡聡

ともに斬新かつ独創的な教えを展開した親鸞と道元。しかし「念仏と坐禅」「救いと悟り」など、両者の思想は極めて対照的。多様で寛容な日本仏教の魅力に迫り、宗教の本質を問う。

940
厚労省
劣化する巨大官庁
鈴木穣

長引くコロナ禍の中、最も世間の耳目を集める省庁・厚労省。毎年莫大な予算を執行し、3万人もの人員を抱える巨大官庁の組織と役割から政策、不祥事までを、専門記者が徹底解説！

941
背進の思想
五木寛之

ひたむきに「前進」するだけが、生きるということではない。人間は記憶と過去の集積体なのだ。時には、後ろを向きながら前へ進む――混迷の時代を生き抜く〈反時代的〉思考法。

942
マツダとカープ
松田ファミリーの100年史
安西巧

世界初のロータリーエンジン搭載車を販売し、国内屈指の人気球団も作った「尖った経営」の原点とは。4代100年に及ぶ、「不屈のDNA」を継ぎし者たちのファミリーヒストリー。

新潮新書

943
首相官邸の2800日
長谷川榮一

サミットや米中との首脳外交、ゴーン事件、コロナ対応……総理補佐官・内閣広報官として、憲政史上最長を記録した安倍政権の7年9カ月を支えた官邸での日々を振り返る。

944
野村萬斎
なぜ彼は一人勝ちなのか
中村雅之

名人の血、華麗なる家系、狂言方という強み、そして消えた二つの壁——天才はなぜ誕生したのか。能・狂言の歴史もスッキリわかる。現代日本人必携の教養書。

945
核兵器について、本音で話そう
太田昌克　兼原信克
髙見澤將林　番匠幸一郎

日本を射程に収める核ミサイルは中朝露で計数千発。核に覆われた東アジアの現実に即した国家戦略を構想せよ！　核政策に深くコミットしてきた4人の専門家によるタブーなき論議。

946
知的に見える男、バカっぽく見える男
テート小畠利子

スーツもスマートカジュアルも、「骨格」が九割。胸囲とウエストを測るだけ、目からウロコのテクニックをコンサルタントが伝授する。どんな場面でも効く、シンプルかつ最強の「見せ方」。

947
日本人の承認欲求
テレワークがさらした深層
太田　肇

上司に、部下に、同僚に「認められたい」——その気持ちが、あなたを追い詰める原因だった。組織研究の第一人者が提唱する、「自分を潰さない」ための新しい働き方。

新潮新書

948
アントニオ猪木
闘魂60余年の軌跡
瑞佐富郎

プロレスの枠を超え政治、起業など多方面で活躍したアントニオ猪木。ファンでなくても知っている圧倒的存在感と、魅力の根源とは？ 闘うカリスマの半生を徹底検証!!

949
不倫と正義
中野信子
三浦瑠麗

不倫は増えている。だがなぜ有名人の不倫はバッシングされるのか？「愛ある」不倫も許されないのか？ 脳科学者と国際政治学者が語り尽くす男と女、メディア、国家、結婚の真実。

950
一汁一菜でよいと至るまで
土井善晴

画期的提案「一汁一菜」に至るまでの、父、土井勝への思い、修業や悩み、出会いと発見——テレビでおなじみの笑顔にこめられた、「人を幸せにする」料理への思いをすべて語り尽くす！

951
自衛隊最高幹部が語る台湾有事
岩田清文　武居智久
尾上定正　兼原信克

自衛隊の元最高幹部たちが、有事の形をリアルにシミュレーション。政府は、自衛隊は、そして国民は、どのような決断を迫られるのか。「戦争に直面する日本」の課題をあぶり出す。

952
「脱・自前」の日本成長戦略
松江英夫

日本の低成長の原因は「自前主義」にある。デジタル活用と外部連携で、自らの強みを再発見し、社会全体としての最適を目指す。日本を成長へと導く戦略と方法論を提言。